Sur les traces du...

Roi ARTHUR

GALLIMARD JEUNESSE

ISBN 2-07-054596-2
© Éditions Gallimard Jeunesse, Paris, 2001
Loi n° 49-956 du 16 juillet 1949 sur les publications destinées à la jeunesse.
Tous droits de traduction, de reproduction et d'adaptation réservés pour tous pays.
1er dépôt légal : septembre 2001 – Dépôt légal : avril 2002 – N° d'édition : 10391
Photogravure : André Michel
Imprimé par EuroGrafica

Sur les traces du...
Roi ARTHUR

raconté par Claudine Glot
illustré par Philippe Munch

GALLIMARD JEUNESSE

La naissance d'Arthur

L'Armorique et l'île de Bretagne se cherchaient un nouveau souverain. Uther Pendragon, leur roi, était mort depuis de trop longs mois, le désordre et la ruine menaçaient le royaume. Chaque seigneur faisait sa loi, les villes n'étaient plus administrées ; sur les routes, les soldats sans solde rivalisaient avec les bandits pour dépouiller voyageurs et commerçants. Les paysans répétaient que depuis la disparition du roi la terre ne voulait plus rien produire. La pluie, qui s'obstinait à tomber en abondance, semblait leur donner raison.

Princes, comtes et barons s'étaient réunis à plusieurs reprises pour choisir celui qui monterait sur le trône du **Pendragon**. Beaucoup de paroles, de petites ambitions, mais jamais de décision. L'absence obstinée de Merlin rendait les choses encore plus pénibles. Dans les moments difficiles, la haute silhouette sombre du savant enchanteur s'était toujours dressée aux côtés d'Uther Pendragon, il assistait le

L'Armorique et l'île de Bretagne : dans l'Antiquité et au Moyen Âge, on appelait Bretagne l'île de Bretagne (aujourd'hui la Grande-Bretagne) et la péninsule de Bretagne. Celle-ci portait aussi le nom d'Armor ou Armorique, qui signifie le pays de la mer.
Pendragon : en breton, tête de dragon ou chef dragon. Le nom de Pendragon est le titre et le surnom du père d'Arthur, ainsi que celui de sa famille.

roi par son savoir autant que par ses mystérieux pouvoirs de magicien.

Merlin avait fait son apparition dans l'île de Bretagne au temps maintenant bien ancien du tyran Vortigern. Il avait aidé Uther et son frère aîné Ambrosius Aurélianus, légitimes héritiers des royaumes de Bretagne, à reprendre leur royaume à ce cruel souverain. Les deux frères avaient fait de Merlin leur conseiller. Autour d'eux, on leur soufflait de se méfier de ce magicien sorti d'on ne savait où, un être étrange qui changeait d'aspect à volonté. Les uns le disaient fils du diable et d'une pure jeune fille. Les autres affirmaient qu'il n'avait jamais eu de père tout simplement parce qu'il était là depuis le commencement des temps et qu'il serait encore là, sous une forme ou sous une autre, jusqu'aux derniers jours du monde. Peu importait aux deux princes.

Pourtant la paix promise allait devoir encore attendre. Ambrosius n'était roi que depuis quelques mois quand, profitant de l'absence de Merlin, les derniers partisans de Vortigern l'empoisonnèrent. L'enchanteur rentra juste à temps pour recueillir son dernier souffle et faire sacrer Uther.

Dès les premiers jours du règne du Pendragon, Merlin prévint le jeune homme :

– Souvent je déciderai de m'en aller ; ne cherche pas à me retenir, ni à savoir où je me rends. Je serai ton ami et ton conseiller, jamais ton serviteur. Moi aussi j'ai régné, en un temps lointain où j'étais déjà **prophète et devin**. Puis vint une terrible bataille où je vis périr tous les miens ; la douleur fut si poignante que je sombrai dans la folie. Je me réfugiai dans la forêt et elle sut me guérir. J'y restai des années, apprenant quelques-uns des secrets du monde. J'ai parlé aux sangliers, un vieux loup devint mon compagnon, j'ai chevauché le grand cerf et mené sa harde. J'ai renoncé à la royauté, à la richesse, et à mon épouse, la belle Guendolena. Aujourd'hui encore, j'ai besoin de revenir plusieurs fois l'an vers la forêt. Parfois j'y rejoins mon maître Blaise, pour lui conter mes aventures qu'il couche par écrit sur de grands parchemins.

Prophète et devin : un prophète fait connaître la parole de Dieu ou des dieux, un devin prédit l'avenir et révèle le sens caché des événements.

Uther avait donné à son étrange conseiller une tour où personne n'osait entrer sans être invité. Ceux qui y avaient pénétré racontaient les livres entassés, les herbes, les **fioles**, les coupelles, les crânes d'oiseaux, la chouette familière qui se perchait dans les poutres. Ils racontaient aussi les objets venus du monde entier, chatoyants, étranges, les sacs d'épices, et les coffrets de **gemmes**. Certains avaient interrogé l'Enchanteur.

Fiole : petite bouteille où l'on conserve des liquides précieux.
Gemme : pierre précieuse.

– Je parcours le monde plus vite que le cheval le plus fougueux, que le navire poussé par les meilleurs vents, avait-il répondu. J'ai voyagé dans des contrées dont vous

n'oseriez même pas rêver. Les rois y attendent mes conseils, les pauvres gens un remède à leurs souffrances. Je rapporte de ces terres lointaines tout ce qui peut accroître mon savoir, ou votre bien-être.

Le roi s'était habitué aux absences de Merlin et le royaume avait retrouvé ordre et prospérité tandis que s'éloignait le temps des guerres. Uther devenait le souverain que les Bretagnes attendaient. Un soir, le roi et l'Enchanteur contemplaient le soleil qui se couchait dans une mer de nuages, quand soudain ses dernières lueurs tracèrent dans le ciel la forme enflammée d'un immense dragon. De sa gueule jaillirent deux rayons d'or. L'un pointa droit vers le nord, l'autre s'étira très loin vers l'ouest.

Présage : signe ou événement que l'on interprète pour prévoir l'avenir.

Merlin prit la parole.

– Tu viens d'être gratifié d'un bien noble **présage**, mon

roi. Le dragon de ta **lignée** est apparu dans le ciel. Les rayons flamboyants qui sortaient de sa gueule annoncent le destin de ton fils. Il naîtra sous le signe de l'étoile du Nord et de la constellation de la Grande Ourse. La lumière qui a parcouru le ciel t'a montré l'immensité de son royaume. Il sera un roi encore plus grand que tu ne l'es.

Uther écoutait avidement Merlin.

– Si ce que tu dis est vrai (à ces mots Merlin fronça les sourcils), pour célébrer ce que tu viens d'annoncer, reprit Uther, je vais convoquer mes vassaux et inviter mes alliés. Qu'ils viennent **en grand arroi** de Grande et de Petite Bretagne avec leurs familles. Je vais donner des bals, des fêtes, des tournois. À la fin des réjouissances, je choisirai parmi les demoiselles de haut lignage celle qui donnera le jour à

Lignée : l'ensemble de la famille à laquelle on appartient ; comporte souvent un fondateur ou un ancêtre hors du commun.

En grand arroi : se présenter en grand arroi signifie que l'on se présente sous son aspect le plus riche et le plus fastueux.

mon fils. Pour notre mariage le vin et l'or couleront à flots partout où flotte ma bannière au dragon d'or et de gueules.

– Noble décision, répondit Merlin sans sourire.

Puis il releva la tête vers le firmament étoilé.

– Si seulement le ciel le veut, soupira-t-il, s'il le veut.

Les fêtes furent superbes. Barons et chevaliers avaient répondu à l'invitation du roi. Les dames, belles et bien parées, ravissaient tous les cœurs. Comment le roi va-t-il faire son choix ? se demandaient ses familiers. Or Uther s'était épris d'Ygraine, duchesse de **Cornouailles**. Deux hommes seulement l'avaient deviné. L'un était Merlin, à qui rien n'échappait. L'autre était l'époux d'Ygraine, Gorlois, le plus fidèle allié d'Uther Pendragon.

Cornouailles (avec un s) : extrémité sud-ouest de la Grande-Bretagne.

Merlin connaissait trop le souverain pour tenter de le raisonner. Les étoiles qu'il avait interrogées avaient confirmé qu'Ygraine faisait partie du destin de la Bretagne. Uther entreprit de séduire la jeune femme : à son grand étonnement, la duchesse lui renvoya ses présents et refusa ses faveurs. Un soir enfin, sans un mot, Ygraine et Gorlois de Cornouailles quittèrent la cour avec toute leur suite. Le roi proclama haut et fort qu'il avait été insulté.

Il rassembla son armée et partit mettre le siège devant Tintagel où s'était réfugiée Ygraine. Après plusieurs semaines, Uther dut se rendre à l'évidence. Bâti sur un promontoire relié à la terre par un étroit passage rocheux, **Tintagel** était imprenable. Bien plus, le château appartenait au monde des enchantements : deux fois par an, aux **solstices**, il disparaissait dans l'Autre Monde. Alors, puisque ni la richesse, ni le pouvoir, ni la force ne lui avaient permis de conquérir Ygraine, Uther décida de recourir à la magie de Merlin.

Tintagel : il existe sur la côte nord de Cornouailles les ruines du château de Tintagel, bâti au XIIᵉ siècle.
Solstices : jour le plus long et le plus court de l'année ; il y a deux solstices par an, le 21 juin (solstice d'été) et le 21 décembre (solstice d'hiver).

L'Enchanteur s'enferma dans la tente royale pour sermonner Uther.

– Ton attitude est indigne d'un grand souverain. Jamais tu n'aurais dû laisser la passion l'emporter sur ton devoir. L'exemple que tu donnes à tous est misérable. Qui te fera encore confiance, après t'avoir vu trahir de cette façon un allié si fidèle ?

Le roi ne l'écoutait pas. Alors Merlin le regarda avec gravité.

– Ton choix est fait, je n'y changerai rien. Le destin doit s'accomplir. Tu passeras la nuit avec Ygraine. En récompense de mon aide, tu me donneras l'enfant qui naîtra de cette nuit.

Il marqua un temps d'arrêt, puis reprit d'une voix qu'Uther ne lui avait jamais entendue :

– Jure-le, jure que cet enfant sera mien dès qu'il aura vu le jour.

À peine Uther avait-il prêté serment qu'il entendit Merlin prononcer une longue **incantation**. Il crut que sa tête s'emplissait de fumée et sa vue se brouilla. Devant lui, il ne voyait plus Merlin, mais un chevalier de Cornouailles. Il entendit la voix de Merlin retentir à nouveau :

– Ne t'étonne de rien, Uther. Tu ressembles maintenant à Gorlois, et j'ai pris l'aspect de son **écuyer**. Je chevaucherai à tes côtés vers Tintagel. Tu diras aux gardes que tu es revenu passer la nuit avec ton épouse. Cette nuit est la tienne, mais avant le premier rayon du soleil, tu quitteras la chambre de la duchesse. Je t'attendrai près du pont-levis. Et n'oublie jamais le prix de ma haute science : l'enfant à venir sera mien.

Tout s'accomplit selon le plan prévu par Merlin. Ygraine reçut sans étonnement la visite de son époux. La lune pâlissait dans le ciel quand le duc et son écuyer quittèrent la forteresse, salués par les gardes. Ils faillirent croiser un triste cortège qui arriva à Tintagel avec les premiers rayons du soleil. Sur un brancard traîné par deux chevaux reposait le corps de Gorlois de Cornouailles, la poitrine transpercée par une lance. Il était mort au milieu de la nuit, victime d'une embuscade sur le chemin de son château.

Uther Pendragon se précipita auprès d'Ygraine. Après quelques semaines de deuil, il la pria de devenir sa reine. Elle lui révéla qu'elle attendait un enfant et lui fit le récit

Incantation : chant ou formule destinée à obtenir un résultat surnaturel.
Écuyer : jeune homme au service d'un chevalier qui prend soin de son équipement.

de l'étrange nuit où son époux mort était venu lui rendre visite. Uther lui avoua la vérité, mais se garda bien de parler de la promesse faite à Merlin.

L'enfant vint au monde, un beau petit garçon, l'héritier idéal du royaume de Bretagne. Mystérieusement averti, Merlin se présenta à la porte du palais et emporta l'enfant. Uther consola la reine de son mieux : elle avait déjà des filles, dont la plus belle et la plus savante était la jeune Morgane, et ils auraient assurément d'autres enfants. En cela il se trompait : aucun héritier ne leur serait donné.

Dans le royaume, bien des princes refusaient encore l'autorité d'Uther, jalousaient sa chance, détestaient jusqu'à sa générosité dont ils bénéficiaient pourtant largement. Ils finirent par le vouer au même sort que son frère Ambrosius. Le poison fut versé par le serviteur qu'il croyait le plus fidèle. Uther agonisa pendant plusieurs jours, incapable de révéler qu'il avait un héritier dont seul Merlin connaissait l'existence. Après la mort d'Uther, Ygraine se retira loin de la cour. Son fils inconnu lui manquait cruellement. Mais où le chercher, et d'ailleurs qui aurait accepté de croire une aussi invraisemblable histoire ?

Et c'est ainsi que le royaume resta sans roi.

LA FORÊT, univers profond, sombre et impénétrable, est aussi un enjeu économique au sein de la société médiévale. Ainsi, le roi et les seigneurs cherchent à développer les forêts, qui leur appartiennent et qui leur procurent richesses et loisirs. Face à eux, les paysans et les moines souhaitent les défricher, car la population augmente et qu'il faut de nouvelles terres pour établir champs, pâturages et habitations.

Brocéliande
Aujourd'hui encore, on peut visiter la forêt de Brocéliande, ou forêt de Paimpont, près de Rennes, et y retrouver, dans différents lieux comme le Val sans Retour, la fontaine de Barenton ou le château de Comper, le souvenir des héros de la Table ronde.

Les boisilleurs

Forêt de Brocéliande

Le peuple des bois
Les gens qui tirent leur subsistance de la forêt sont les **boisilleurs**. Ils vivent des ressources de la nature : ils cherchent le miel ou récoltent la cire des abeilles sauvages, amassent les écorces pour tanner les peaux ou fabriquer des objets domestiques, cueillent plantes, baies et champignons pour se nourrir ou se soigner. Ils vivent une partie de l'année dans les cabanes qu'ils se sont construites dans les bois.

Les richesses de la forêt
Nombreuses sont les activités qui trouvent dans la forêt leur matière première. Les bûcherons abattent les arbres et coupent le bois qui sera brûlé dans les demeures ou dans les ateliers et fabriques (forges, verreries, briqueteries). Les charbonniers transforment le bois en charbon au cœur même de la forêt.

> **" J'ai parlé aux sangliers, un vieux loup devint mon compagnon, j'ai chevauché le grand cerf et mené sa harde. "**

Un univers magique

Au cœur de la forêt, on imagine que se cachent des personnages surnaturels, comme les fées ou les esprits des arbres et des fontaines. Certes, la forêt abrite de grands animaux sauvages, comme les ours, les loups, les sangliers, mais la croyance populaire y ajoute des lions et parfois des dragons. Les sorcières et les meneurs de loups – des hommes qui commandent aux animaux – se cachent aussi dans les forêts pour pratiquer leurs talents interdits. Pour toutes ces raisons, la forêt attire autant qu'elle effraie.

La chasse

Au Moyen Âge, on traque l'ours et le loup car ils menacent les troupeaux, les écureuils et les martres pour leur fourrure et les cervidés (cerf, chevreuil, biche) pour leur viande, mais aussi pour le plaisir de la chasse. Le gibier appartient à celui qui possède la forêt. Ainsi, seuls les seigneurs ont le droit de chasse et la pratiquent à cheval avec des chiens, ou des faucons dressés. Les dames de la haute société chassent également. Les paysans, eux, se livrent au braconnage, délit sévèrement puni.

Excalibur désigne le roi

– Ce sera le plus grand tournoi qu'on ait jamais vu dans les deux Bretagnes, et bien au-delà. Tous les hommes libres de ce pays y sont conviés, et le vainqueur deviendra notre roi. Ainsi en ont décidé princes et évêques.

Le **chevaucheur** était hors d'haleine, tant il avait galopé par le royaume et hurlé la nouvelle sous les murailles des châteaux et des manoirs, sur les places des villes et des villages.

Le seigneur Antor s'avança vers lui.

– Entre dans la cour et va aux cuisines. Fais-toi servir une cruche de **cervoise** et une belle part de fromage et de pain. Mais auparavant, dis-moi donc où et quand se tiendra le tournoi.

– À **Winchester**, seigneur, le jour de Noël ! Si vous voulez y parvenir à temps, il faut vous mettre en route sans plus tarder.

Antor fit demi-tour et se précipita vers la grande salle de son manoir perdu dans les brumes des terres du Nord.

– Kay, Arthur ! hurla-t-il en traversant la cour.

Chevaucheur : officier à cheval qui portait les messages et les ordres du roi.
Cervoise : bière ancienne, fabriquée à partir de céréales.
Winchester : ville qui fut la capitale de l'Angleterre avant Londres.

Un instant plus tard, ses fils faisaient irruption devant lui. Grand, solide, le teint coloré, doté d'une épaisse chevelure d'or roux, Kay devançait de quelques pas son cadet, Arthur. Plus jeune de deux ou trois années, plus mince, l'adolescent approchait d'un pas mesuré, l'air réfléchi, presque méfiant. Cet appel imprévu, pendant qu'il soignait les chevaux, ne lui disait rien de bon. Quelle corvée leur père leur avait-il réservée ?

– Kay, mon fils, la chance nous sourit. Nous sommes invités à un grand tournoi, à Winchester. Je ne suis plus d'âge à me battre, mais si tu t'y comportes vaillamment, tu feras peut-être partie de l'entourage du futur roi.

– Quel futur roi ?

– Le vainqueur de ce tournoi sera notre roi.

– Et si c'est moi le vainqueur du tournoi ?

Antor et Arthur éclatèrent de rire en même temps. La modestie n'avait jamais été le fort de Kay.

– Commence par te battre honorablement, répliqua le vieux seigneur, et deviens chevalier. Tu feras ainsi ta fortune et celle de ton frère.

Kay hésita un instant entre la bouderie et le plaisir. Mais la perspective d'aller à la cour était trop excitante.

– Quand partons-nous ? Mes armes sont-elles dignes d'un tel événement ? Qui sera mon écuyer, combien de chevaux nous faut-il ? Je n'ai point de surcot de **samit** ni de manteau doublé de **vair** pour les fêtes. Je vais demander à l'armurier de me forger un nouveau **heaume** tout doré. Je dois être le plus beau. Y aura-t-il des demoiselles, et…

Samit : riche tissu de soie d'origine orientale.

Vair : fourrure d'écureuil, composée de morceaux blancs et de morceaux gris.

Heaume : casque de l'armure médiévale.

Robes : aux XIIe et XIIIe siècles, les robes sont portées par les hommes comme par les femmes.

– Du calme, l'interrompit son père. Dans trois jours, à l'aube, nous quitterons le château avec deux valets et mon écuyer. Jusque-là, entraîne-toi avec le maître d'armes. Qu'Arthur s'exerce aussi. Je choisirai moi-même nos chevaux et nos armes. Pour les vêtements, nous achèterons là-bas quelques belles **robes**, à la dernière mode française.

La longue route parut rapide aux deux jeunes gens qui découvraient le monde. Puis un matin tout blanc de neige, ils virent devant eux Winchester : d'énormes murailles, des toits à n'en plus finir, des tours, des clochers. Des chariots entraient et sortaient, chargés de marchandises. Des troupes de soldats patrouillaient, des chevaliers en grande tenue, leurs armures scintillant sous les capes et les cottes d'armes fourrées, galopaient en direction des portes de la ville.

En chevauchant vers leur camp, les hommes n'avaient qu'un seul sujet de conversation. Une épée plantée dans un bloc de pierre rouge était miraculeusement apparue la veille, à l'aube, entre la cathédrale et le champ du tournoi.

– Elle est blanche et droite comme celle d'un **archange**, et elle brille comme si elle avait été forgée par un nain des royaumes souterrains. Son nom est gravé en belles lettres sur la lame.

Archange : ange d'un rang supérieur. Messager de Dieu, il est parfois guerrier.
Excalibur : nom de l'épée du roi Arthur, vient du nom gallois Kaledvourc'h qui signifie «dure-tranchante».

– Un nom de féerie qui résonne comme une promesse de victoire : elle s'appelle **Excalibur**.

– Un nom de notre vieux langage !

– Elle n'appartiendra qu'à un seul, et celui-là sera notre roi.

– Comment peut-on en être sûr ?

– La pierre qui l'enserre porte gravé en lettres d'or : « Celui qui retirera cette épée de la pierre sera roi de plein droit. » Depuis hier, ils sont plus de deux cents à avoir tenté de l'arracher ; tous ont échoué, même les plus nobles, même les plus forts.

Kay était très excité par cette histoire ; Arthur, qui chevauchait un peu en arrière, tout étourdi par le tumulte, n'avait pas écouté.

Antor décida avec sagesse de se présenter au **héraut d'armes** pour participer au tournoi, de dresser leur tente et de commencer à armer Kay.

Lorsque les trompes sonnèrent pour la pre-mière joute, Antor était au bord de la lice ; Kay attendait à cheval que son frère lui **ceigne son épée**. Dans la tente, Arthur était figé sur place, avec le pressentiment

Héraut d'armes : est chargé de vérifier que les tournois se déroulent suivant les règles.
Ceindre une épée : la nouer autour du corps à l'aide d'une ceinture.

d'une catastrophe. Nulle part il n'apercevait l'épée de son frère. Il ne pouvait pas l'avoir oubliée. Il fouilla fébrilement dans les coffres, souleva les tapis et les fourrures. Rien. Comment avouer la vérité à Kay ? Il aurait préféré que la terre l'engloutisse. Il était indigne de la chevalerie. Dans l'espoir qu'on lui prêterait une arme, il courut vers les tentes voisines : toutes étaient vides.

Soudain un rayon de lumière attira son regard. Dans le pâle soleil scintillait une épée, étrangement plantée dans un rocher. Arthur s'approcha lentement. Autour de lui tout était devenu silencieux. Avec douceur, il posa sa main sur le **pommeau** d'or. Il trouva le métal tiède sous sa paume. Quand il referma les doigts, une vague de chaleur parcourut son bras. L'épée semblait faire partie de lui, depuis toujours. Calmement, il commença à retirer l'arme de sa **gangue** de pierre : sans la moindre résistance, la lame glissa hors du rocher. Le jeune homme l'éleva vers le soleil, riant silencieusement.

Pommeau : extrémité renflée de l'épée, que l'on tient dans la paume de sa main.
Gangue : roche qui entoure une pierre précieuse.

Des cris de joie fusèrent soudain autour de lui. La foule accourait de toutes parts.

– Nous avons un roi ! Arrêtez le tournoi ! Excalibur a désigné le souverain ! Venez voir le prodige ! C'est un miracle, nous sommes sauvés. Le royaume va revivre.

Arthur sortit brusquement de son rêve. L'épée qu'il avait à la main était bien réelle. Excalibur rayonnait et, devant lui, la foule s'était agenouillée. Au premier rang, à genoux eux aussi, Antor et Kay le regardaient, les yeux pleins de larmes. Arthur s'apprêtait à les relever lorsque d'autres cris éclatèrent.

– Traîtrise ! **Vilenie** ! Écuyer, lâche cette épée ! Jamais tu ne seras notre roi ! Tu n'en es pas digne ! Paysan du Nord, quelle est ta noblesse ?

Vilenie : action honteuse et basse.

Debout sur leurs étriers, les princes et les hauts barons entouraient Arthur. Le jeune homme ne broncha pas devant la menace. Il demeura impassible et resserra seulement ses doigts sur l'épée.

D'un coup le silence revint. La foule s'écarta. Les barons se turent lorsque passa devant eux un homme vêtu de noir. Un bâton richement sculpté à la main, il avançait à grands pas, droit vers Arthur.

– Merlin, hurla soudain Léodegrand de Cameliard. Il y a des mois que nous t'attendons. Pourquoi sors-tu enfin de ta tanière ?

– Pour dire la justice et la vérité, pour aider le roi que j'ai fait, pour rendre à ce pays la paix.

– Parle clairement, si tu le peux, répliqua Urien, le frère du roi, Lot d'Orcanie.

– Je suis venu vous l'annoncer à tous : l'épée a désigné le vrai roi. Il a pour nom Arthur, et j'ai présidé à sa naissance. Je proclame qu'il est fils d'Uther Pendragon et de la reine Ygraine.

– Mensonge, mensonge, ragea Urien. Cet écuyer a pour père Antor.

– Non !

Dans le brouhaha, la voix d'Antor se fit alors entendre, forte et claire.

– Ce garçon n'est pas mon fils, bien que je l'aime autant que Kay. Il avait à peine quelques semaines lorsque Merlin nous l'a confié. Sans révéler les origines de l'enfant, il nous a recommandé de l'élever comme notre fils. Nous lui avons obéi, mon épouse et moi. Personne n'a rien su de notre secret. Merlin est quelquefois revenu voir l'enfant, puis ses visites ont cessé.

Dans l'assemblée des barons, déjà les querelles se faisaient jour. Un groupe prenait le parti d'Arthur, d'autres refusaient de voir en lui le nouveau roi.

Merlin regarda le jeune homme dans les yeux.

– Arthur, acceptes-tu ce royaume divisé, appauvri, ces chevaliers rebelles ? La charge de réunir, de pacifier, le sacrifice de ta jeunesse et de ton insouciance, les acceptes-tu aussi ? Seras-tu le roi de tous les Bretons, celui que cette terre attend ?

– Tout cela, je l'accepte, oui, je l'accepte.

Sa voix n'avait pas tremblé.

L'ENFANCE, au Moyen Âge, se divise en deux périodes. D'abord un temps que l'on nomme l'innocence et qui va de la naissance à la septième année, suivi de l'enfance proprement dite, jusqu'à la quinzième année. Vient ensuite l'entrée dans l'adolescence où l'on acquiert les droits et les devoirs d'un adulte : se marier, combattre, gouverner.

Mère et son nourrisson

Enfant à cheval muni d'une batte

La mortalité infantile

Les femmes donnent le jour à de nombreux enfants, mais un tiers d'entre eux n'atteint pas l'adolescence car les maladies de la petite enfance sont fréquemment mortelles.

Les nourrissons

Ils dorment dans des berceaux, auprès du lit de leurs parents ou de leur nourrice. Les femmes de milieu modeste allaitent leurs enfants alors que les dames nobles les confient à des nourrices.

Le rôle de la mère

La mère donne la première instruction : prières et histoire religieuse, latin parfois. Elle apprend aussi à se comporter en société. À 7 ans, l'enfant sort des jupes de sa mère (ou de l'appartement des dames).

Les jeux

Toupies, chevaux de bois, osselets, marionnettes, mais aussi cache-cache, colin-maillard, saute-mouton et divers jeux de balle occupent les loisirs des enfants. Les échecs, qui développent réflexion et sens tactique, font partie de l'éducation des princes.

Un moine enseigne la lecture à des enfants.

> **" Commence par te battre honorablement et deviens chevalier. Tu feras ainsi ta fortune et celle de ton frère. "**

Leçon d'équitation

L'éducation

Après leur septième anniversaire, les garçons de famille noble rejoignent la compagnie des hommes. Ils commencent leur éducation de chevalier auprès de leur père ou de leurs frères. Puis ils entrent au service d'un parent ou d'un allié. À partir de l'âge de 16 ans, ils peuvent être armés chevaliers. Les filles apprennent à diriger la maison. On leur enseigne plus souvent qu'à leurs frères à lire, à écrire, à tenir les comptes, soigner malades et blessés. Elles tissent, brodent, apprennent la musique et la danse.

Le métier de roi

Arthur s'interrogeait souvent : serait-il venu à bout des épreuves qui avaient ponctué les trois années écoulées depuis le jour où il était devenu roi de Bretagne, si Merlin n'avait pas été à ses côtés ?

Dès le premier soir, alors que les fidèles de la première heure fêtaient l'**avènement** de leur roi, Merlin avait emmené le jeune homme au palais. À sa propre surprise, Arthur y était entré comme chez lui, avec assurance, la tête haute. Merlin le regardait avec approbation. Tous deux s'étaient enfermés dans un **cabinet** privé.

Avènement : accession au pouvoir.
Cabinet : petite pièce retirée et calme.

– Veux-tu savoir les secrets de ta naissance, avait attaqué l'Enchanteur, ou préfères-tu que je t'enseigne le métier de roi ?

– Ces secrets dorment depuis des années, qu'ils continuent. Apprends-moi très vite à être roi. Dehors, ils sont nombreux à m'attendre, ceux qui m'ont fait confiance au premier regard. Et ceux qui ne veulent pas de moi se regroupent, plus nombreux encore. Pour eux tous, je dois faire mes preuves. Maintenant que j'ai retiré l'épée, mon destin m'attire et me terrifie tout à la fois.

Merlin avait rassuré le jeune homme. Il serait à ses côtés tout le temps nécessaire à son apprentissage de la royauté. En ce premier soir, il lui avait simplement répété :

– Sois juste, brave et généreux. Garde cela présent à l'esprit, et tu deviendras le bon roi que les hommes, Dieu et les fées attendent pour ce royaume.

Arthur s'était étonné de la présence des fées, mais l'Enchanteur lui avait affirmé que cela aussi il le comprendrait quand le temps serait venu. Avant de revenir **festoyer** au milieu des chevaliers, Merlin avait annoncé à Arthur que, dans les jours prochains, Ygraine, à qui l'on avait envoyé un messager, viendrait le rejoindre avec ses trois filles, les demi-sœurs d'Arthur, et ses neveux.

Festoyer : participer à un festin.
Allégeance : quand un chevalier vient jurer à un seigneur de lui obéir et de le servir, on dit qu'il lui fait allégeance.
Tribut : impôt ou don d'argent volontaire pour participer à une action commune.

Le lendemain, à peine levé, Arthur se rendit dans la salle du conseil. Douze barons en grande tenue se levèrent à son entrée. Dans des coffres posés devant eux scintillait tout un trésor de pièces d'or, de joyaux, de pierreries et de perles. Le plus âgé s'avança vers le roi.

– Reçois ceci, en hommage et en signe de notre **allégeance**. Tu en auras besoin pour combattre et ramener l'ordre dans le royaume. Que ce premier **tribut** t'aide dans tes conquêtes, comme t'assisteront nos épées.

Arthur jeta un coup d'œil à Merlin. Assis les mains croisées dans ses larges manches, la tête baissée, l'Enchanteur ne leva pas les yeux vers lui. Alors le roi parla :

– Mes seigneurs, grand merci à vous tous. J'apprécie ce don, mais je serais un roi indigne si je m'emparais du bien de mes sujets. Il en sera dans le royaume d'Arthur comme dans celui d'Uther Pendragon : le roi se doit de distribuer la richesse, et je n'y faillirai pas. Je vous rends or et joyaux, et je vous demande seulement de faire don du dixième de leur valeur aux plus pauvres de ce royaume.

Le plus âgé remercia le roi de sa générosité et de sa charité et les douze hommes s'inclinèrent bien bas.

– Nous avons une autre requête à te soumettre. Au cours de son règne, ton père le roi Uther nous avait fait don de nos terres et de nos titres. Tu le remplaces aujourd'hui : acceptes-tu de confirmer nos titres et de nous garantir nos terres ?

Le roi Arthur sentait que tous guettaient sa réponse. Merlin souriait, silencieux sur son banc de pierre. Intérieurement, Arthur le maudit : quel remarquable conseiller muet il avait là ! Puis il se mit à parler, et il sut immédiatement que ses paroles sonnaient juste :

– L'épreuve de l'épée m'a désigné, mais je n'aurai pas le droit d'accorder de titres ou de terres tant que je n'aurai pas été sacré dans la cathédrale de Winchester. Mes seigneurs, donnez-moi votre conseil : quand célébrerons-nous mon couronnement ?

Toute la journée, la ville retentit des louanges du roi Arthur. Au soir, une centaine de chevaliers se présenta devant la poterne du palais. Ils venaient prêter serment de fidélité au jeune roi. Celui-ci les accueillit avec faste, leur offrit des capes de fourrure, et il leur fit servir du vin chaud aux épices, du pâté de sanglier et de grasses volailles rôties.

Le couronnement eut lieu à la fin du mois de janvier. Le soleil d'hiver faisait briller l'or des parures et l'acier des armures. Autour d'Arthur se tenaient Ygraine et ses filles, Kay, Antor, et Gauvain, le neveu d'Arthur dont la beauté attiraient tous les regards.

Les fêtes ne s'éternisèrent pas. Les ennemis du jeune roi ne désarmaient pas et se préparaient à une bataille qu'ils espéraient définitive. Arthur rassembla ses troupes et chevaucha vers le nord-ouest, Merlin à ses côtés. Au bout de trois jours, ils aperçurent les tentes de l'armée ennemie. Le roi ordonna de dresser le camp et convoqua ses lieutenants dans son **pavillon**.

Penché sur une grande carte, Arthur expliquait

Pavillon : tente. Au Moyen Âge, on se déplace souvent et durant les voyages on couche sous des tentes.

sa tactique pour la bataille du lendemain. Un peu à l'écart, Gauvain, Kay et Bedevere se disputaient à mi-voix, sans prêter attention aux paroles du roi. Chacun avait décidé que lui revenait l'honneur de porter l'**étendard** royal. La porte de la tente s'ouvrit : guidé par deux lévriers blancs, un inconnu vêtu de blanc fit son entrée, une harpe d'or au creux du bras. À l'évidence il était aveugle. Arrivé devant le roi, il le pria de lui accorder une faveur. La coutume était de ne jamais refuser ce genre de **supplique**. Le harpeur souhaitait, dit-il, être choisi comme porte-étendard pour le combat à venir. Le roi ne voulait pas manquer à sa parole, mais il dut faire admettre à l'inconnu que la chose était impossible. L'homme se retira. À peine était-il sorti qu'un enfant en haillons, couvert de boue et sentant fort l'étable, se jetait à son tour aux pieds du roi, le suppliant de faire de lui son porte-bannière. Le roi le renvoya prestement dans sa ferme avec ordre de lui donner auparavant un bain, une bonne soupe et quelques pièces d'or. L'enfant sortit en protestant, laissant la place à Merlin. L'Enchanteur se planta face au roi et, devant les chevaliers bouche bée, déclara avec fermeté qu'à lui seul revenait l'honneur de porter l'**enseigne** des Pendragon, la **bannière** en forme de dragon qui crachait feu et fumée au cœur des combats.

Le silence fut brisé par l'éclat de rire du roi.

Supplique :
demande pressante, que l'on fait en suppliant.

Étendard, enseigne, bannière :
synonymes qui désignent des drapeaux propres à un homme, une famille ou un pays.

– Le harpeur et le petit paysan, c'était toi ! J'aurais dû m'en douter. Mais pourquoi ces ruses ?

– Tes brillants lieutenants ne pensent qu'à leur gloire personnelle, répondit Merlin en indiquant Kay, Gauvain et Bedevere. Demande-leur s'ils ont écouté un mot de tes ordres de bataille. Ils ne se montrent pas plus raisonnables que le harpeur aveugle ou le berger ignorant qui prétendaient chevaucher à tes côtés.

Puis vint la bataille. Arthur se battit comme un lion. Partout on voyait luire au soleil son heaume au dragon d'or, et Excalibur scintillait au cœur de la mêlée. Plusieurs fois cerné par ses adversaires, il **tranchait**, **taillait** et la muraille ennemie reculait. Gauvain aussi se surpassait : souvent seul contre plusieurs adversaires, traversant les lignes ennemies au galop prodigieux de son cheval **Gringalet**, il passait comme une vague de lumière, forçant la victoire à lui obéir. Au bout de trois heures, les ennemis se rendirent. Urien, qui les commandait, implora à genoux son pardon au roi.

– J'ai douté de toi, de ta jeunesse, et je n'ai pas fait confiance à la sagesse de Merlin. Mais ce que j'ai vu aujourd'hui me dit que tu es le héros dont nous avons tous besoin, aussi brave et hardi que ton père, Uther. Je serai fier de te servir, si tu m'acceptes pour chevalier.

Trancher, tailler : deux des principaux coups d'épée.
Gringalet : nom d'origine bretonne qui ne signifie pas qu'il s'agit d'un petit cheval maigre. Au contraire, Gringalet est un cheval d'une force et d'une intelligence exceptionnelles.

Urien était roi dans son pays, Arthur le savait. Il le releva et le serra dans ses bras. Dans la plaine, les hommes des deux camps hurlèrent leur joie en brandissant leurs épées dans le soleil de midi.

Après le ralliement d'Urien, les **campagnes** du roi l'amenèrent à travers tout le royaume ; d'abord des batailles, à la victoire rapide, puis juste quelques **escarmouches** ici et là, ultimes tentatives de soulèvement. Un beau jour, les derniers rebelles se rendirent à la cour pour jurer à leur tour fidélité au roi. Le temps des guerres était terminé.

– Merlin, je suis aussi le roi qui donne la prospérité et la richesse. J'ai été brave, maintenant je serai généreux. Nous avons assez combattu. Nous allons reconstruire le royaume. Des années de paix nous attendent. Les vergers refleuriront, les troupeaux se multiplieront. Nous édifierons villes, villages et châteaux. Ma cour sera comme un soleil, elle attirera ce qu'il y a de plus beau au monde. Je veux être le meilleur des rois.

– Arthur, le meilleur des rois ne peut pas être un roi solitaire. Le meilleur des rois doit avoir à ses côtés la plus grande des reines.

Campagnes : opérations militaires durant lesquelles l'armée se déplace et combat.
Escarmouches : petites attaques, combats de courte durée, avec peu d'hommes.

Au Moyen Âge, le roi fait partie d'une lignée dont seuls les membres peuvent être appelés à exercer la fonction royale.
Le roi a longtemps été élu parmi les meilleurs guerriers. Mais en France, à partir de 927 et pendant plus de deux cents ans, les rois capétiens (descendant d'Hugues Capet) eurent la chance d'avoir un fils qui leur succéda : la monarchie française devint héréditaire.

La justice

Le roi veille à la stricte application de la justice. Avec ses conseillers, il organise les lois du royaume. Certains rois, comme Saint Louis, rendent régulièrement la justice eux-mêmes.

Le sacre

La cérémonie religieuse au cours de laquelle **le roi est couronné** s'appelle le sacre. Une fois sacré, le roi devient le représentant de Dieu sur la terre, promet d'exercer la justice et de protéger l'Église en toute circonstance. Comme le Christ règne seul au Paradis, le roi règne seul sur le royaume. Pendant leur sacre, les rois de France sont frottés de l'huile de la sainte ampoule. Cette fiole de verre avait, dit-on, été apportée par la colombe du Saint-Esprit pour le sacre de Clovis. Les rois de France considèrent donc que leur monarchie leur vient de Dieu et qu'ils sont rois de droit divin. Ils reçoivent, le jour du sacre, le pouvoir de guérir certaines maladies en posant leurs mains sur les malades.

Sacre de Charles V

Le chef de guerre

En temps de guerre, le roi réunit l'armée royale : à ses propres troupes se joignent celles de ses vassaux, qui lui doivent des jours de service armé. Le roi décide de la stratégie militaire et combat lui-même à la tête de son armée. Il arrive qu'il soit tué à la bataille ou fait prisonnier par l'ennemi.

Prise d'une ville

> **66** Sois juste, brave et généreux. Garde cela présent à l'esprit, et tu deviendras le bon roi que les hommes, Dieu et les fées attendent pour ce royaume. **99**

Main de justice des rois de France

Couronne du Saint Empire romain

La couronne et l'épée

Lors du sacre, des grandes cérémonies, sur les monuments et les médailles où ils sont représentés, les rois portent les insignes de leur pouvoir : la couronne, l'épée, et **la main de justice**. La couronne symbolise leur bénédiction par Dieu, la main rappelle que le roi doit être juste dans ses actes et envers ses sujets. L'épée le désigne comme le premier des chevaliers du royaume, et son protecteur contre le mal.

Épée du sacre des rois de France, dite épée de Charlemagne

Le Noir Sénéchal

La vie reprenait ses droits en Bretagne. Les royaumes environnants s'étaient ralliés à Arthur. En retour, il étendait sur eux ses bienfaits, gloire, richesse, protection. La rude vie des combats et la solitude du pouvoir avaient mûri le roi. Ce n'était plus le bel adolescent élu par Excalibur, mais un homme de haute taille, silencieux et réfléchi. À le voir mener les affaires du royaume, on oubliait qu'il avait à peine plus de vingt ans.

Merlin ne se rendait plus aussi souvent à la cour. Les gens bien informés disaient que la **forêt de Brocéliande**, en Petite Bretagne, était devenue sa retraite favorite. Le roi savait qu'une jeune fille, princesse fée, était devenue l'élève de Merlin.

Brocéliande :
la forêt de Brocéliande se trouve en Bretagne.

– Elle s'appelle Viviane, lui avait-il avoué, et elle m'est aussi indispensable que l'eau à la terre. À la fois mon amie et mon élève, elle seule peut partager mon savoir, comme le faisait autrefois ta sœur Morgane, pendant sa jeunesse en Cornouailles. Viviane ne peut quitter sa forêt bretonne : un sort l'y attache depuis sa naissance. Alors, je vais vers elle chaque fois que je le peux. Ne me regrette pas, tu n'as plus besoin de mes conseils.

Merlin était pourtant là le jour où la cour réunie autour du roi vit arriver, sortant de la forêt qui barrait l'horizon, trois jeunes femmes montées sur des juments blanches. À la façon des chevaliers, elles entrèrent sur leurs montures dans la grande salle où siégeait le roi. Toutes trois vêtues de blanc, elles portaient de souples robes de soie brodée d'or et de perles, qui laissaient apercevoir leurs bras, leur cou, la ligne de leurs jambes. Leurs cheveux chatoyants n'étaient pas étroitement nattés sous un voile, comme le voulait la mode. Argentés, blonds ou roux, ils flottaient librement dans leur dos. Fasciné, Arthur les fixait sans bouger. Merlin prit la parole.

– Mon roi, je t'avais prédit que, si tu exerçais ton pouvoir suivant mes conseils, tu serais aimé de Dieu et des fées. Dieu t'a prouvé sa faveur. Maintenant les dames de l'**Autre Monde** que vous, les humains, nommez fées, viennent faire alliance avec toi.

La plus grande des trois s'avança. Elle portait sur ses mains tendues un fourreau de soie et de cuir mêlés, clouté d'or et d'émeraudes.

– Personne ne défend mieux que toi la chevalerie, l'honneur des dames, et la forêt des merveilles. Pour cela, tu mérites d'être appelé le roi le plus aimé des fées. En gage de notre amour, reçois le fourreau d'Excalibur,

Autre Monde : dans les légendes d'origine celtique, l'Autre Monde est le monde surnaturel. Il est proche du nôtre, et sa frontière peut être franchie dans les deux sens.

l'épée des enchantements. Sa lame t'est précieuse, ce fourreau le sera cent fois plus. Tant que tu le porteras, nulle arme n'aura le pouvoir de faire couler ton sang.

Le roi reçut le don des fées au milieu du silence admiratif de toute la cour, et les trois dames repartirent aussitôt. Les conversations venaient de reprendre lorsque entra à son tour un messager qui n'avait rien de féerique : la **cotte** poussiéreuse, la cape déchirée, le visage fatigué, il avait parcouru un long et difficile chemin.

Cotte : tunique plus ou moins longue selon la mode.

Sénéchal : grand officier du roi, qui gérait l'administration du palais et s'occupait de la justice.

– Monseigneur, ma dame Flor et la reine sa mère implorent assistance. Désignez un de vos chevaliers pour être leur champion et les délivrer du Noir **Sénéchal**.

Arthur reconnaissait le blason brodé sur la cotte du messager.

– Tu viens de la part de la belle Flor de Monts ? Son père s'est vaillamment battu à mes côtés voici deux ans. Que lui est-il arrivé ?

– Son sénéchal l'a tué, par poison et magie. Il tient les dames prisonnières. Vingt-quatre chevaliers ont essayé de les venger. Tous ont disparu dans leur quête du Noir Sénéchal.

Déjà les chevaliers se bousculaient au pied de l'estrade royale, réclamant le droit de combattre pour la belle Flor. Le roi, d'un mot, mit fin au tumulte :

– Dès demain, je prendrai la route vers le **royaume de**

Royaume de Monts : un des royaumes imaginaires que parcourent les chevaliers de la Table ronde.

Monts. Pour moi, cette aventure sera la dernière avant bien longtemps. Je vais l'accomplir seul, suivant notre coutume.

Arthur arriva au soleil couchant dans le petit royaume de Monts tout endeuillé. Un mystérieux messager viendrait le quérir dans la nuit pour aller affronter le sénéchal, lui expliqua la reine. Comme pour tous ceux qui l'avaient précédé, elle fit préparer deux chevaux, l'un comme monture, l'autre pour porter les vivres, armes et couvertures. Vers minuit, on fit appeler le roi. À sa grande surprise, un cerf blanc, dont la tête rouge s'ornait de bois d'or fin, l'attendait dans la basse cour du château. Trois nuits, le roi le suivit à travers la forêt profonde. La journée, l'animal se couchait dans l'ombre la plus noire, et le roi dormait à ses côtés. La quatrième nuit, le cerf disparut dans les ruines d'un grand château ; quelques instants plus tard, un vieillard en manteau blanc sortit des murailles éboulées. Sous la pleine lune, son visage semblait familier à Arthur.

– Me reconnais-tu ? Je suis le roi de Monts, ou plutôt son fantôme. Seule la mort du Noir Sénéchal me donnera le repos éternel. Si tu veux m'aider, suis fidèlement mes conseils. Derrière ces ruines s'étend une vaste clairière, au bord de laquelle s'élève un arbre immense. Assieds-toi sous l'arbre, attends l'aurore sans jamais sortir de l'ombre des branches. Aux premières lueurs du jour, tu traverseras la clairière et tu trouveras le chemin du château du séné-chal. Adieu, je n'ai pas le droit d'en dire plus.

La nuit était aux trois quarts écoulée quand le roi vit arriver des valets, des dames, des musiciens, puis douze chevaliers. Un beau tournoi s'engagea dans la clairière. À plusieurs reprises, les chevaliers s'arrêtèrent de combattre pour appeler :

– Roi Arthur, rejoins-nous. Nous savons que tu es là. Es-tu si piètre combattant que tu n'oses nous affronter ?

Certains se moquaient même ouvertement de la **couardise** du roi. Attentif aux conseils reçus, Arthur ne bougea pas.

Couardise : lâcheté, poltronnerie.

Joute : combat
à cheval entre
deux chevaliers
qui s'affrontent
à la lance
de manière courtoise.
Entrer en lice :
participer
à un tournoi.

Les premières **joutes** finies, un second groupe de douze chevaliers entra à son tour en **lice**. Le combat prit une tout autre allure ; les nouveaux venus attaquaient pour blesser, pour tuer. Des hommes tombèrent sur le sol, hurlant de douleur. La lutte devenait féroce. On entendait des cris de part et d'autre :

– Roi Arthur, ne nous abandonne pas. Protège-nous : toi seul, avec ta bonne épée Excalibur, peux sauver nos vies !

Les cris étaient si poignants que le roi se leva et détacha son cheval. La prairie était rouge de sang. Toujours sous l'arbre, le roi se mit en selle. Au moment où il allait pousser sa monture hors de l'ombre des branches, il entendit une alouette et leva la tête vers la très faible lueur qui naissait à l'orient, là où chantait l'oiseau. Puis il reporta ses yeux sur la prairie ; les combattants lui parurent moins vigoureux, ralentis, étrangement transparents. L'alouette chanta encore ; le soleil commençait à illuminer l'horizon. Le roi regarda la prairie, incrédule : plus un chevalier, plus une dame, plus une goutte de sang sur l'herbe. Dans la lumière éclatante, le roi traversa la clairière et parvint, au milieu de la forêt, au château du Noir Sénéchal. Celui-ci, se croyant protégé par son armée de chevaliers fantômes, n'était pas prêt à affronter le roi. Arthur l'attaqua furieusement, à la hache et à l'épée, et livra au diable la vilaine âme du traître. Puis il rentra au château de Monts où l'attendaient Flor et sa mère. Pendant la fête qui suivit, plus d'un invité pensa que Flor ferait une parfaite souveraine.

Mais quelques jours plus tard, le roi Arthur reprit sa route. Il avait promis de rendre visite à son premier allié, le vieux roi guerrier Léodegrand de Cameliard. Celui-ci avait une fille dont on célébrait la beauté exceptionnelle et la grande noblesse. Les chevaliers l'admiraient aussi pour son courage : ne suivait-elle pas son père sur les champs de bataille, soignant les blessés avec des **onguents** à base de plantes, dont elle seule avait le secret ? Après l'avoir rencontrée, Kay et Gauvain en avaient presque perdu, l'un l'appétit, l'autre le sommeil.

Onguent : pommade ou crème de soin, mais aussi parfum.

Antor avait plusieurs fois insisté pour qu'Arthur fasse la connaissance de la belle princesse Guenièvre. Merlin s'était montré curieusement réticent, inventant toujours une bonne raison pour empêcher Arthur de croiser le chemin de la jeune fille.

Lorsque le roi pénétra dans la grande salle du château de Léodegrand, il se maudit d'avoir tellement attendu. Il avait rêvé d'une reine idéale, qui ne pouvait exister : celle qui lui faisait face surpassait cent fois son rêve. Il entendit à peine Léodegrand le prier de s'asseoir. En regardant les épaisses tresses blondes et le profil parfait de Guenièvre, il la voyait déjà assise à ses côtés sur le trône, vêtue de drap d'or et couronnée de rubis.

CHÂTEAU FORT, FORTERESSE, PLACE FORTE, le château a d'abord une fonction militaire. Il protège le seigneur et sa famille et doit arrêter les troupes ennemies. Il constitue aussi le siège du pouvoir, où se prennent les décisions et où l'on vient demander justice et protection.

La grande salle

❝Lorsque le roi pénétra dans la grande salle du château, il se maudit d'avoir tellement attendu.❞

Le donjon (1)
Le seigneur et sa famille y demeurent. Dans la **grande salle**, au premier étage, ont lieu les réceptions et les conseils. Le seigneur y rend la justice. Aux étages supérieurs se situent les chambres des seigneurs, de leur famille, de leurs invités et, plus haut, celles des serviteurs. En cas d'attaque, le donjon est l'ultime refuge et la partie du château la plus facile à défendre.

Le mobilier
Peu abondant, il est constitué, aux XIIe et XIIIe siècles, de **coffres** pour les vêtements, de sièges, de grands lits, de tapisseries pour décorer et lutter contre le froid et de cheminées. Les tables sont installées sur des tréteaux au moment des repas.

Coffre décoré avec une scène de tournoi

Les défenses

L'enceinte extérieure (2) est protégée par des fossés (3) ou des douves. Dans les murailles de cette enceinte, les courtines, s'ouvrent de petites portes, ou poternes. La grande porte (4), également protégée par des tours (5), se ferme par un pont-levis (6).

Dover Castle, dans le Kent, en Angleterre

Dame guettant son seigneur du haut du donjon

Les habitants du château

Entre les deux premières enceintes s'étend la basse cour (7), qui comprend des ateliers, des puits, les réserves et greniers à grain, les maisons des artisans et des valets, les étables. La haute cour (8) renferme les écuries, les cuisines. La garnison y loge et l'on y trouve la chapelle seigneuriale. Les grands châteaux abritent la population d'un gros village, laquelle s'accroît en temps de guerre, quand les paysans viennent y chercher refuge.

Morgane

Le roi fit proclamer que six mois plus tard serait célébré son mariage avec Guenièvre. Des fêtes et des banquets seraient offerts par tout le royaume afin que chacun de ses sujets prenne part à sa joie. Des messagers partirent vers les châteaux les plus éloignés, porteurs d'invitations. La cour était prise de frénésie : les dames commandaient des robes, les chevaliers des armures de parade. Les peintres œuvraient pour orner de **fresques** raffinées la chapelle et les futurs appartements royaux. Arthur débordait de projets : routes, ponts, châteaux, églises à construire, nouvelles terres à mettre en culture, ambassades vers les souverains étrangers. Guenièvre devait trouver à son arrivée le plus parfait des royaumes.

Fresques : peintures exécutées directement sur l'enduit encore frais des murs. Cette technique ne permet pas de faire des retouches.

Prévenu on ne sait comment, Merlin, rentré de sa lointaine forêt, ne se mêlait pas à la joyeuse agitation. Il donnait au besoin ses avis à Arthur, mais se détournait quand le roi parlait de son mariage. Surpris de cette attitude, Arthur fit un jour appeler Merlin dans ses appartements.

Sur un mur, une fresque grandeur nature représentait Guenièvre, les cheveux dénoués, vêtue de vert et couronnée de fleurs.

– Je sens en toi de l'hostilité envers ma future épouse. Tu as pourtant été le premier à me conseiller de me marier.

– De te marier, certes. Mais jamais je ne t'ai conseillé d'épouser la princesse Guenièvre.

– Tu me vantais l'alliance avec le royaume de Cameliard.

– Du temps des guerres. Maintenant, les combats sont finis. Si tu avais daigné prendre mon avis…

– Tu étais absent lors de mon départ, et je ne pensais pas rencontrer en chemin ma future épouse. Mais rassure-toi, Guenièvre fera une reine accomplie : aussi brave que belle, elle connaît les usages de la cour et les devoirs d'une noble dame. Elle est bonne et charitable, c'est une remarquable cavalière, elle lit et écrit plusieurs langues… Que demandes-tu de plus ?

– Je redoute ce que les étoiles m'ont révélé, longtemps avant ta naissance. Ta venue était inscrite dans le ciel et ta royauté apparaissait clairement. Mais tout s'obscurcissait autour de ton âge mûr. J'ai deviné à tes côtés une reine très belle, et un jeune homme **intrépide** qui avait ta confiance. J'ai vu une ombre s'étendre autour de vous trois. Si tu épouses Guenièvre, si ce chevalier vient à la cour…

Intrépide : qui ne craint ni le danger ni les obstacles.

Merlin s'aperçut à cet instant que le roi Arthur n'écoutait plus. Il fixait le portrait de Guenièvre d'un air extasié. Le silence dura quelques instants, puis Merlin ajouta :

– Voilà, tu en sais autant que moi, ou presque.

– Je te remercie de tes conseils, répondit distraitement Arthur.

– Tu ne les as même pas entendus. J'ai tenté de t'avertir ; là s'arrête mon pouvoir. Je peux aider la destinée à s'accomplir, je ne suis pas armé pour contrarier ce qui est écrit.

L'Enchanteur se leva, gagna la porte du cabinet de travail et sortit, laissant le roi plongé dans sa contemplation.

Le départ de Merlin passa inaperçu dans le tourbillon de l'arrivée de Morgane de Cornouailles, la demi-sœur aînée du roi. Drapée dans ses fourrures, elle chevauchait en tête du cortège, et non à l'abri d'une **litière** suivant l'usage des dames. Derrière elle venaient ses suivantes, ses chevaliers, les hommes d'armes de sa maison. Arthur s'avança pour l'accueillir et fut frappé par sa beauté et son expression impérieuse.

Litière : sorte de lit fermé, porté ou traîné par des hommes ou des chevaux, lors des voyages.

« Quelle redoutable beauté », songea-t-il.

Morgane était venue remplacer leur mère Ygraine pour préparer le mariage et accueillir Guenièvre. Elle profiterait de ce temps à la cour pour s'entretenir avec les poètes et les **lettrés** que le roi hébergeait. Elle était aussi très désireuse, annonça-t-elle, de lire les ouvrages savants que Merlin avait rassemblés et souhaitait approfondir ce que l'Enchanteur lui avait appris naguère.

Les premières semaines, tous, des plus nobles aux plus humbles, chantèrent les louanges de Morgane, qui s'était imposée, avec justice et fermeté, comme la véritable maîtresse du palais. Elle soulageait bien des douleurs avec ses

potions, ses **décoctions**, ses **emplâtres**. Elle avait entrepris une tapisserie pour la future reine. « Quand elle entrelace fils d'or et soies chatoyantes, on croirait qu'elle crée le monde. Comment pourrait-on œuvrer si bellement sans être un peu magicienne ? » se demandait-on. Les mauvaises langues faisaient cependant remarquer qu'elle passait beaucoup de temps avec les jeunes chevaliers de son frère, qu'elle avait peu de goût pour la conversation des autres dames, et que ses parures manquaient de modestie.

Décoction : liquide dans lequel on a fait bouillir des plantes.
Emplâtre : pâte ou crème que l'on applique sur une zone douloureuse pour la soigner.
Grimoire : livre de magie.

Puis l'admiration céda sournoisement la place à l'inquiétude. Des rumeurs commencèrent à courir. Pourquoi Morgane passait-elle tant d'heures plongée dans d'énormes **grimoires**, que faisait-elle la nuit chez Merlin, et pourquoi apercevait-on d'étranges lueurs dans la tour de l'Enchanteur ? Un valet qui s'était montré insolent envers elle disparut pendant plus de trois jours. À son retour, il prétendit avoir été transformé en pierre par dame Morgane elle-même. Comme le garçon avait largement prouvé qu'il était un menteur doublé d'un paresseux, on crut à une excuse ingénieuse. Mais, de ce jour, il manifesta une terreur panique rien qu'à l'idée d'apercevoir Morgane.

Un jour enfin, un des écuyers de Gauvain s'en vint lui raconter une curieuse aventure.

– J'étais dans la cour quand la princesse Morgane est entrée dans la tour. Elle m'a recommandé de ne laisser personne la suivre. En l'attendant, j'ai vu un très grand corbeau s'envoler par la fenêtre de Merlin. Peu après, Kay est arrivé : le roi avait besoin de sa sœur dans l'instant pour choisir les pierres de sa couronne de mariage. C'était un ordre royal, alors nous sommes entrés, mais la tour était vide. Nous avons appelé et regardé partout, en vain, la princesse n'était pas là. Kay l'a fait chercher par tout le palais, sans succès. Juste avant la nuit, le grand corbeau est revenu : je l'ai vu entrer dans la tour par la galerie. Quelques minutes plus tard, la princesse est ressortie de la tour et m'a remercié d'avoir fidèlement monté la garde.

Gauvain rassura le jeune homme, et s'en alla rendre compte au roi de l'incident. Arthur devint pensif :

– Gauvain, tu es son neveu et tu sais que Morgane a toujours été différente. Elle est venue au monde avec le don de **double vue**. Puis Merlin l'a choisie, elle seule, comme élève. Parmi bien d'autres sorti-lèges, il lui apprit l'art de la métamorphose, pour elle et pour les autres.

Double vue : don de voir l'avenir ou ce qui est invisible.

– Morgane est la sœur de ma mère, et je sais ses qualités : son savoir, son courage, sa fidélité à nos ancêtres et à
leurs croyances, et sa grande générosité. Vous devez tous
les deux comprendre que tu gouvernes un immense
royaume et qu'à ta cour, il est des comportements intolé-
rables.

Arthur fit quérir Morgane pour lui demander, le temps de
son séjour au palais, de se comporter comme les autres

Dot : l'ensemble des richesses que la fiancée apportait à son époux pour leur mariage.

dames et de renoncer à ses mystérieux travaux. Il ajouta qu'il apprécierait de la voir choisir un époux, et qu'il lui offrirait une **dot** généreuse.

D'abord impassible, Morgane finit par éclater de rire en écoutant le discours du roi.

– Ne me donne pas d'ordre, ne m'impose pas d'époux ! Je n'ai nul besoin de ton or. Personne ne peut se permettre une telle audace, pas même toi, mon très cher frère. Je suis ton aînée, et l'héritière du duché de Cornouailles. Dois-je aussi te rappeler mes pouvoirs de magicienne ? Je rentrerai sur mes terres dès que ta fiancée sera arrivée. J'y poursuivrai mes travaux sur la voie que m'a tracée Merlin, avec les compagnons de mon choix, toujours solitaire. Nul ne mérite que je perde pour lui ma liberté.

Arthur s'inclina. Son mariage était proche et il n'avait ni le temps ni l'envie de se quereller avec Morgane.

Le mois de mai se terminait lorsque Guenièvre fit son entrée dans Winchester. Trente chevaliers d'Arthur, trente barons de Cameliard, tous avec leurs écuyers, escortaient la litière de la jeune fille et les chariots tendus de cuir ouvragé, chargés de sa somptueuse dot. L'un d'eux portait une immense table ronde que Léodegrand avait reçue d'Uther Pendragon. Il tenait à la rendre à Arthur, en présent de noce et en gage de fidélité.

Morgane, parée de rouge sombre, ses cheveux noirs

mêlés de rubis et de cristaux scintillants, accueillit la blonde Guenièvre dans sa robe d'or. Elles rivalisèrent de sourires, d'embrassades, de compliments. Mais on ne pouvait s'y tromper : ces deux-là s'étaient détestées au premier regard. Le roi se sentit soulagé que Morgane ait décidé de partir avant la cérémonie nuptiale.

Son départ fut remarqué. Cinq des meilleurs chevaliers d'Arthur avaient décidé d'entrer au service de sa sœur. Quand tout le cortège fut réuni dans la **haute cour**, Morgane s'adressa au roi de façon que tous puissent l'entendre.

– Tu ne me reverras plus dans ton royaume. Prends garde à l'infidélité et au déshonneur, ils seront si près de toi. Et lorsque les temps noirs seront revenus, à la fin du dernier combat, tu me trouveras à tes côtés. Je veillerai sur toi en mon île d'**Avalon**.

Guenièvre avait du mal à cacher sa colère quand elle parla à son tour :

– Ma sœur, rentrez dans vos domaines, régnez-y en paix. Je me charge de veiller sur mon époux. Ne craignez pas le retour des batailles. Le roi a su nous gagner une paix durable ; avec notre union commence l'âge d'or du royaume.

Haute cour : la haute cour du château fort était au pied du donjon et des appartements du seigneur.

Avalon : dans les contes celtiques, l'île d'Avalon, située au nord-ouest du monde, est l'équivalent du Paradis. Le soleil y brille toujours, les habitants y vivent éternellement, sans vieillir ni subir nulle peine.

CERTAINES FEMMES du Moyen Âge connurent un destin et une célébrité exceptionnels. Mais leur gloire et leur rôle remarquable ne doivent pas faire oublier combien la condition féminine est alors difficile. La société est organisée par et pour les hommes et la femme demeure toute sa vie soumise à l'autorité masculine. La religion elle aussi est pensée par des hommes pour qui la femme, même la plus exemplaire, reste la descendante d'Ève, qui par son péché perdit le Paradis terrestre.

Les mères
La durée et la qualité du mariage sont liées à la **naissance** d'un ou de plusieurs fils pour continuer la lignée. La naissance elle-même est une épreuve redoutable, pour la mère comme pour l'enfant, sans défense contre les infections.

Bague de mariage

Une naissance

Le mariage
C'est à la fois un sacrement, un contrat et une alliance. Les parents prévoient parfois cette union dès la petite enfance des futurs époux.

Métiers de femmes
En ville, elles exercent différents métiers dans le commerce et l'artisanat, mais aussi dans le bâtiment. Quant aux paysannes, elles s'occupent de la terre, des récoltes et des animaux exactement comme les hommes.

Des fileuses

Illustration tirée de l'ouvrage de Christine de Pisan La Cité des femmes.

Les femmes d'esprit

Les arts et les lettres ne sont pas le domaine réservé des hommes. Par exemple, **Christine de Pisan** compose des ballades et des traités politiques ou philosophiques. Femme écrivain professionnelle, elle vit et fait vivre sa famille par ses œuvres.

Les reines

La loi salique interdit aux femmes de régner sur la France : la reine est l'épouse, la mère ou la veuve du roi. Mais si le roi ne peut gouverner, la reine devient, pour une période limitée, régente du royaume : c'est le cas de Blanche de Castille, la mère de Saint Louis.

Le mariage d'Aliénor et de Louis VII

> **66** Guenièvre connaît les usages de la cour et les devoirs d'une noble dame. **99**

Une éternelle mineure

Les femmes ne sont libres ni de leurs biens ni de leur personne. Elles doivent s'incliner devant la volonté des hommes, de leurs parents ou de leurs suzerains. Elles possèdent des biens, mais peuvent être empêchées d'en disposer librement.

Aliénor d'Aquitaine

Héritière du duché d'Aquitaine, elle épouse en 1137 le roi de France Louis VII. Lorsque leur mariage est annulé, elle se remarie avec le futur roi Henri II d'Angleterre, à qui elle apporte ses terres d'Aquitaine. Toute sa vie, elle a fait preuve de capacités politiques, et a encouragé le développement des arts.

Les chevaliers
de la Table ronde

Après un mois de cérémonies et de fêtes, les invités reprirent le chemin de leurs fiefs, les fontaines de cervoise et de cidre cessèrent de couler, les musiciens rentrèrent chez eux, fortune faite. Dans les années à venir, le mariage d'Arthur et de Guenièvre serait cité des milliers de fois comme le modèle de toute noble cérémonie. Ceux qui n'y avaient pas assisté n'étaient pas les derniers à décrire les soixante robes portées par la reine, ou les sublimes armures dans lesquelles avaient défilé les seigneurs, Arthur en tête.

La vie reprit son cours. Arthur, escorté de sa jeune épouse et de ses chevaliers, parcourait ses terres ; il veillait au bonheur de ses sujets, édictait de justes lois, faisait construire abbayes, hôpitaux, fortifications. Même les récoltes et les marchés recevaient son attention.

Camaalot : capitale imaginaire et idéale du roi Arthur.

Ce fut aussi le temps où il fit édifier la cité et le château de **Camaalot**. Il voulait que s'y unissent les techniques les plus avancées de l'art défensif militaire, le raffinement des plus majestueux palais de Rome, et qu'on y trouve les produits les plus extraordinaires de la terre et de l'art des hommes. Avec l'aide de Merlin, les ouvriers avaient érigé en quelques mois ville et palais.

Mais les chevaliers se sentaient inutiles : les épées restaient dans les fourreaux, les **destriers** à l'écurie. Les tournois leur permettaient de montrer leur habileté aux armes, mais ils rêvaient de vraies **prouesses**. Gauvain vint s'en ouvrir au roi qui l'écoutait toujours avec attention :

Destrier : cheval que monte le chevalier pour le tournoi ou la guerre.
Prouesse : action d'éclat, qui prouve le courage et la valeur du chevalier.
Courtisans : ceux qui sont attachés à la cour du roi.

– Donne-leur un sujet de fierté, qu'ils prouvent leur valeur, sinon ils vont devenir des **courtisans**, ou rentrer dans leurs domaines.

Arthur promit d'en parler à Merlin, dès qu'il honorerait la cour de sa présence.

Merlin n'eut pas l'air surpris.

– Tu as autour de toi des hommes exceptionnels, les plus valeureux et les plus dévoués des chevaliers. Tu dois leur offrir en retour une vie hors du commun. Je ne parle pas des honneurs ou des richesses. Ce qu'ils veulent, c'est vivre grâce à toi une aventure à nulle autre pareille. Crée pour eux une grande fraternité, où tous seront égaux. Pour symboliser leur égalité et leur amitié, ils siègeront autour de la Table ronde que t'a offerte Léodegrand. D'autres les rejoindront, venus du monde entier, et seules leurs qualités commanderont leur admission à la Table ronde. Ils feront le serment d'accepter toutes les aventures, sans en refuser une seule, sans en choisir une plutôt qu'une autre.

– Comment viendront-ils jusqu'à la Table ronde ?

– Ils se pressent déjà à ta cour, attirés par sa réputation : aucun lieu n'est plus admiré. La Table ronde sera l'ultime accomplissement de ton royaume.

– Et l'aventure viendra à eux ?

– Tu devras d'abord les envoyer par les chemins, dans ton royaume ou au-delà. Ils protégeront les plus faibles et lutteront sans répit contre l'injustice, contre le mal et le désordre. Ils porteront haut, en des terres étranges et parfois hostiles, la gloire du roi Arthur et l'honneur de la Table ronde.

– S'ils abandonnent tout pour partir vers l'inconnu, je les récompenserai à la mesure exacte de leurs exploits et je prendrai soin des leurs.

– Bien, tu as toujours belle conscience de tes devoirs.

– Mon rôle s'arrêtera-t-il là ?

– Tu seras le cœur même de la Table ronde, et la condition de son existence. Deux fois par an, dont une à la Pentecôte, tous les chevaliers se réuniront à Camaalot, et chacun devra raconter ses aventures devant ses **pairs**. La réputation de la Table ronde grandira si vite que l'aventure viendra d'elle-même vers vous. Les dames en détresse, de ce monde ou de l'Autre, les jeunes

Pairs : ses égaux, ses compagnons.

écuyers, les **ermites** mêmes accourront à la Table ronde raconter merveilles et prodiges, implorer de l'aide et chercher un **champion**.

– De l'Autre Monde, dis-tu ?

– Au début de ton règne, les fées t'ont assuré de leur amitié. Parfois des dangers qu'elles ne peuvent maîtriser les menacent : elles se tourneront vers toi. Tes chevaliers **en errance** franchiront plus d'une fois, souvent sans le savoir, les portes de l'Autre Monde et ils y trouveront amours et aventures.

Arthur ne perdit pas de temps. Une immense salle reçut la Table ronde. Les douze premiers compagnons, Gauvain, Agravain, Gaheriet et Guerrehet, Yvain, les neveux du roi, Kay, Bedevere, Urien, Lucan, Ulfin, Mador, furent rapidement rejoints par des preux venus de partout, comme Merlin l'avait prédit. Palamède, chevalier **sarrasin** rêvant de la Table ronde, traversa la mer et les déserts pour y siéger.

Gauvain fut un des premiers à rencontrer l'aventure. Ce n'était que justice, car le neveu favori du roi montrait toutes les qualités du parfait chevalier.

À la Pentecôte, une demoiselle entra au palais sur une mule qu'elle tenait à l'aide d'un **licol**. Elle implora de l'aide :

Ermites : hommes qui ont choisi, par vocation religieuse, de vivre à l'écart du monde, dans la solitude et l'inconfort.
Champion : celui qui combat au tournoi et en toutes circonstances pour défendre une cause ou une personne.
En errance : qui se déplacent.
Sarrasins : au Moyen Âge, désigne les musulmans.
Licol : lien que l'on passe au cou d'un cheval pour le promener ou l'attacher.

– La bride de cette mule m'a été enlevée, et j'ai depuis perdu toute ma joie. Si elle ne m'est pas rendue, je ne sourirai de ma vie. Elle est enfermée en un lieu périlleux, un château fort difficile à conquérir. À qui me la rendra, j'offrirai tout ce qu'il peut souhaiter.

Gauvain n'hésita pas une seconde.

– Je vous rendrai votre bride et votre sourire, promit-il à la jeune fille.

– Alors, prenez ma mule et laissez-la suivre sa route : elle seule connaît le chemin.

Sans s'aider des étriers, Gauvain sauta en selle. La mule prit le trot et s'élança droit vers la forêt. Du fond des bois, Gauvain vit accourir vers lui toutes sortes de bêtes féroces, grandes et redoutables comme des léopards, ou rampantes et sournoises comme des serpents et des scorpions. Il s'apprêtait à combattre, mais elles s'inclinèrent devant lui avec respect. Son chemin le conduisit au bord d'une rivière aux eaux noires dans laquelle se devinaient des formes monstrueuses. Une planche la franchissait, à peine plus large que les sabots de la mule. Gauvain lança sa monture qui passa au galop. Près de la rive s'élevait un grand château vers lequel se dirigea la mule.

Gauvain n'avait jamais rien vu de tel : le château tournoyait au milieu de l'eau, animé d'un mouvement sans répit. Il l'observa un moment et vit plusieurs fois passer devant lui le pont-levis abaissé. S'il sautait, il avait une

chance minuscule de trouver le passage, et tous les risques de s'écraser contre les murailles. Il prit soigneusement ses repères et talonna sa mule. Elle bondit directement sous la **herse** ; ils heurtèrent brutalement le mur, mais ils étaient passés.

Gauvain se dirigea vers le **donjon** : avec horreur, il découvrit que la tour était cernée de pieux qui tous arboraient la tête d'un chevalier mort. Soudain la porte de la haute tour s'ouvrit sur un géant à l'allure sauvage, une **guisarme** sur l'épaule.

Herse : lourde grille métallique.
Donjon : tour où habitaient les seigneurs.
Guisarme : arme composée d'un long manche à l'extrémité duquel était emboîtée une lame en fer, lisse d'un côté, formant deux crochets de l'autre.

– Je vous salue, messire Gauvain, déclara-t-il au chevalier. Vous êtes en quête de la bride de cet animal. Elle est ici, mais vous ne l'aurez point car demain vous serez trépassé avant l'heure de midi. Pour ce soir, je vous offre l'hospitalité.

Après le repas, il conduisit son invité à sa chambre. Gauvain allait s'allonger quand le géant le mit au défi de montrer sa bravoure :

– Voici ma guisarme. Si tu es le courageux chevalier que l'on prétend, coupe-moi la tête à l'instant, mais sache que demain matin je trancherai la tienne à mon tour. Que décides-tu ?

Sans un mot, Gauvain prit l'arme et le décapita net. Le géant se pencha, ramassa sa tête et partit en la tenant entre ses mains. Gauvain s'endormit aussitôt.

Le lendemain à la première heure, le géant était là, la tête sur les épaules, sa guisarme dans une main, un billot dans l'autre. Gauvain s'agenouilla et posa sa tête sur le bois. Le géant lui fit ses adieux, leva son arme et l'abattit de toutes ses forces au ras du cou de Gauvain, sans même l'égratigner. Puis il le félicita de son courage et lui annonça qu'il l'aiderait dans les épreuves à venir.

– Deux lions vont entrer dans cette pièce et tu devras les combattre en te protégeant de ces sept **écus** de bois dur renforcés de fer.

Gauvain revêtit sa **cotte de mailles** et la porte s'ouvrit sur les deux fauves écumant de rage. Le combat fut terrifiant : le premier lion avait fait voler en éclats quatre des écus quand Gauvain réussit enfin à lui planter son épée dans le ventre. Le second attaqua aussitôt furieusement. La perte de son dernier bouclier provoqua chez Gauvain un sursaut qui le sauva : d'un grand coup d'épée, il fendit la tête du lion jusqu'à la base du cou.

Le géant lui donna à boire, lui lava le visage et le conduisit dans une chambre où reposait un chevalier. À la vue de Gauvain celui-ci saisit son épée et se présenta comme le défenseur du château :

– C'est moi qui ai vaincu les valeureux guerriers dont la tête orne l'entrée du donjon. Prépare-toi à les rejoindre ! lança-t-il à Gauvain.

Écus : boucliers.
Cotte de mailles ou haubert : tunique formée de petites mailles de fer.

Il ignorait que le neveu du roi Arthur avait reçu à sa naissance un don des dieux. Chaque jour ses forces augmentaient de façon prodigieuse jusqu'à l'heure de midi, puis redevenaient normales l'après-midi. Il ne lui fallut que quelques instants pour mettre en déroute le « défenseur du château ». Généreusement il lui fit grâce, lui ordonnant d'aller se constituer prisonnier auprès du roi Arthur. La dernière épreuve, deux serpents crachant feu et venin, advint une heure avant midi. Le géant avait revêtu Gauvain d'un haubert de forte maille, et les deux monstres ne résistèrent pas aux furieux coups d'épée du chevalier.

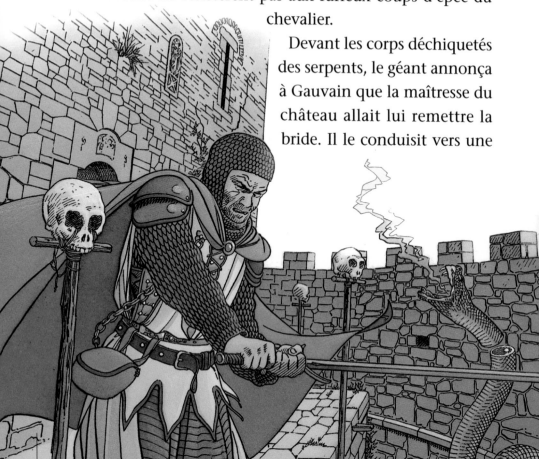

Devant les corps déchiquetés des serpents, le géant annonça à Gauvain que la maîtresse du château allait lui remettre la bride. Il le conduisit vers une somptueuse chambre où la dame l'attendait. Elle apprit à Gauvain qu'elle était la sœur de la demoiselle venue lui demander de l'aide.

– Messire Gauvain, tenez-vous tant à rapporter cette bride ? Vous qui êtes le soleil de la chevalerie, restez plutôt ici et devenez mon époux. Je dispose de ce château-ci et j'en ai encore trente-huit autres.

Elle était si belle que Gauvain, toujours prêt à tomber amoureux, sentit qu'il faisait face à un péril aussi grand que les serpents et les lions réunis. Il détourna son regard du charmant visage, pensa à ses compagnons de la Table ronde, à son honneur et à la parole donnée, et lui répondit courtoisement que le roi Arthur l'attendait et qu'il devait tenir sa promesse.

Le retour à travers la forêt **périlleuse** se passa sans encombre. La demoiselle, en recevant sa bride, manifesta hautement sa joie, et proposa elle aussi à

Périlleuse : où il y a des risques, dangereuse.

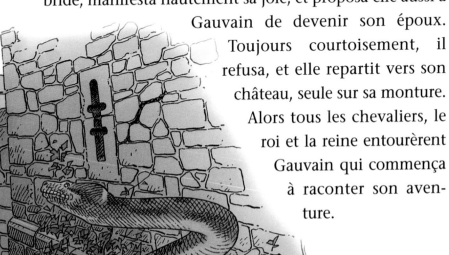

Gauvain de devenir son époux. Toujours courtoisement, il refusa, et elle repartit vers son château, seule sur sa monture. Alors tous les chevaliers, le roi et la reine entourèrent Gauvain qui commença à raconter son aventure.

LE CHEVALIER est, à l'origine, un combattant à cheval. Au Moyen Âge, on devient chevalier par une cérémonie spécifique : l'adoubement. Tout chevalier a le droit de faire entrer dans la chevalerie celui qu'il en juge digne. Pourtant, à partir du XIIᵉ siècle, l'adoubement est presque exclusivement réservé aux nobles.
La chevalerie s'impose un code moral, en temps de guerre comme en temps de paix. Le chevalier doit être charitable, protéger les plus faibles et aider ceux qui en ont besoin.

Des hommes de guerre
Les chevaliers sont des combattants spécialisés dans le combat à cheval, et ils se battent en groupe. Il existe des ordres dont les membres sont à la fois moines et guerriers.

Scène d'adoubement

Les chevaliers de la Table ronde

Chevalier du XIVᵉ siècle

66 Gauvain fut un des premiers à rencontrer l'aventure. Ce n'était que justice, car le neveu favori du roi montrait toutes les qualités du parfait chevalier. **99**

L'adoubement
Certains adoubements sont donnés à l'issue d'une bataille, d'autres le sont à travers une cérémonie très ritualisée, précédée ou suivie d'une messe. Le chevalier reçoit les insignes de son état (épée, éperons) ainsi que la colée, coup porté avec la main ou le plat d'une épée sur l'épaule ou le cou.

De dures conditions de vie

Beaucoup de chevaliers sont pauvres, et espèrent rencontrer la fortune au cours de leurs aventures, par faits de guerre ou en épousant une dame richement dotée.

La vie du chevalier

Elle se partage entre chevauchées, batailles, guerres et tournois.

Tournoi

L'apprentissage du chevalier

Il commence dès l'enfance. En quittant le domaine familial, le futur chevalier connaît les bases de l'équitation et du combat. Ensuite, valet chez un parent ou chez un suzerain, il apprend l'entretien des armes et le service de son seigneur, tout en continuant son entraînement au combat. Puis il participe aux tournois et aux batailles et accède à l'état d'écuyer. Enfin, si son courage est irréprochable, son sens chevaleresque sans défaut et s'il a les moyens de s'équiper (chevaux, armes, armures), il a l'honneur d'être adoubé.

Lancelot du lac

Les années passaient, les aventures se multipliaient. Les poètes mettaient déjà par écrit les plus beaux exploits rapportés à la Table ronde. Le roi Arthur était entré dans son âge mûr. Parce qu'il devait protéger la paix et la prospérité du royaume, il ne partait plus chevaucher avec ses compagnons quand revenait le temps de l'aventure.

Au mois de mai, les écuyers se pressaient à Camaalot pour avoir l'honneur d'être **adoubés** par le roi. En cette dixième année de règne, la cérémonie allait revêtir un éclat particulier et la foule était nombreuse dans la grande salle. Un guetteur appela du haut du donjon :

– Une immense lumière s'en vient sur la route. Tout est blanc, tout scintille.

Une merveille s'annonçait : l'assemblée se précipita dans la **galerie extérieure**.

Une vingtaine de cavaliers trottaient hardiment vers l'entrée de Camaalot. Montés sur des chevaux blancs,

Adoubé : dans la cérémonie de l'adoubement un écuyer est armé chevalier par un autre chevalier.

Galerie extérieure : la grande salle du premier étage de certains châteaux était prolongée par une salle plus étroite dont un des côtés s'ouvrait sur l'extérieur par des fenêtres, formant ainsi une galerie.

vêtus de blanc, ils étincelaient dans le soleil avec leurs armures d'argent. À leur tête chevauchaient une dame et un jeune homme de haute taille, parés eux aussi de blanc et d'argent. Quelques instants plus tard, un héraut d'armes se présenta devant le roi pour lui annoncer l'arrivée de Viviane, Dame du lac, venue de Petite Bretagne avec son fils Lancelot.

Leur entrée se fit en silence. On n'avait jamais vu, à la Table ronde, une beauté comparable à celle de la jeune femme et de l'écuyer qui s'avançaient. Viviane s'adressa au roi, et tous crurent entendre chanter une source pure :

– Sire roi, voici Lancelot, l'être qui est le plus cher à mon cœur. Il n'est pas né de ma chair, mais je l'ai élevé comme mon fils dans mon château du lac de Comper, en Brocéliande. Je lui ai appris les **arts libéraux**, les meilleurs maîtres lui ont enseigné les armes. Il a dix-huit ans et il connaît tous les devoirs d'un chevalier. Il n'ignore rien des lois de la courtoisie. Noble roi, je ne peux te révéler son nom, mais sois sûr qu'il est de haut lignage. Adoube-le de ta main et il sera ton meilleur chevalier.

Arts libéraux : parmi les arts libéraux, on comptait la musique, la géométrie, l'arithmétique, la rhétorique ou art de bien parler.

Le roi ne put retenir Viviane qui devait rentrer dans son domaine. Elle embrassa tendrement Lancelot : au château du lac, le cœur déchiré, ils s'étaient préparés à la séparation. Yvain, courtois et accueillant, s'avança vers le jeune homme seul au milieu de la salle.

– Je vais vous expliquer les coutumes de ces lieux et vous préparer à l'adoubement.

Le lendemain matin, le cortège royal se dirigea vers le porche de la cathédrale où attendaient les écuyers, un genou en terre. Lancelot était au premier rang, les yeux baissés. Arthur et Guenièvre s'arrêtèrent devant lui. Lancelot releva la tête et son regard plongea dans les yeux de la reine. Il comprit dans l'instant que, de sa vie, il ne regarderait une autre dame : la reine était tout ce dont il avait rêvé sans le savoir.

Arthur et Guenièvre continuèrent leur chemin sans voir le trouble de Lancelot, la messe fut dite et chantée, et à la fin de la cérémonie tous les jeunes gens furent adoubés. Le roi remettait à chacun, suivant la coutume, une épée et des éperons, quand un cavalier entra au galop dans l'enclos de la cathédrale.

Requiers : requérir signifie demander.
Northumberland : royaume réel du nord de l'Angleterre.

– De l'aide, je **requiers** de l'aide pour ma maîtresse, la dame de Nohaut. Elle demande au roi Arthur un champion pour affronter en combat singulier le roi du **Northumberland** qui veut l'épouser de force.

Le roi n'eut pas le temps de réagir. Lancelot était déjà à genoux devant lui.

– Sire roi, vous venez de me faire chevalier. Accordez-moi la faveur de défendre cette dame.

Le roi hésita. Lancelot pouvait échouer dans sa mission, ou périr à son premier combat, mais lui opposer un refus le déshonorerait. À regret, il accepta : Lancelot prit congé de lui sans attendre l'épée que le roi s'apprêtait à lui offrir. Yvain l'attendait pour l'aider à s'armer. Lancelot lui demanda s'il ne devait pas faire ses adieux à la reine. Yvain le félicita de cette courtoise pensée et le conduisit aux appartements de Guenièvre. Lorsqu'elle vit entrer Lancelot, elle admira sa prestance. Il s'agenouilla devant elle, elle lui prit la main pour le relever et se sentit brusquement très troublée par sa beauté et par la passion avec laquelle il la regardait. Il l'implora, à voix très basse, de l'accepter comme son chevalier.

Beau doux ami : formule traditionnelle employée dans le langage courtois.

– Certes, je le veux bien, **beau doux ami**, lui répondit-elle sur le même ton.

Et le jeune homme s'en alla, le cœur ébloui.

Sur sa route, Lancelot prit le temps de délivrer une jeune fille prisonnière de deux chevaliers et de combattre un géant. Il reçut à l'épaule une blessure si profonde que la dame de Nohaut refusa de le laisser combattre ainsi. Elle le soigna durant quinze jours, et pendant ce temps-là la rumeur courut à Camaalot que le jeune Lancelot n'avait pas accompli sa mission. Fort inquiète, la reine lui fit envoyer une magnifique épée, cependant que Kay, toujours prompt à la critique, prenait la route pour remplacer ce jeune homme incompétent. Il arriva au moment où Lancelot, l'épée de Guenièvre au côté, s'apprêtait à livrer bataille au roi de Northumberland. La

dame de Nohaut adressa au roi un message lui annonçant que deux chevaliers combattraient pour elle. Le roi se fit donc accompagner de son meilleur champion et l'affrontement dura tout le jour. Lancelot fut le plus ardent au combat et le plus chevaleresque des quatre : jamais il ne se battit à cheval contre l'un de ses adversaires à pied, il se porta à l'aide de Kay chaque fois qu'il le vit faiblir. Le sénéchal refusa son aide avec rage, mais fut bien forcé de reconnaître la valeur du chevalier à l'armure d'argent. La paix fut conclue à la satisfaction de tous, et Lancelot prit le chemin du retour.

Sa route le conduisit vers le château de la Douloureuse Garde. Tous les chevaliers errants qui étaient passés par là avaient connu un sort malheureux. Ils avaient péri ou étaient restés prisonniers des gardiens de la forteresse. Lancelot lança son défi aux maîtres de la Douloureuse Garde. Un chevalier sortit par une des portes et le combat commença. Mais, quand l'adversaire de Lancelot montra des signes de fatigue, il sonna du cor et un autre chevalier le remplaça aussitôt. Lancelot avait réussi à vaincre cinq chevaliers quand le crépuscule interrompit l'affrontement. Les portes se refermèrent. Une demoiselle voilée de blanc s'approcha de Lancelot.

– Vous reprendrez le combat demain, et vous devrez vaincre avant la tombée du jour les vingt chevaliers qui gardent les deux portes de la Douloureuse Garde.

– Grâce à Dieu, cinq d'entre eux sont déjà morts ou blessés !

– Détrompez-vous : vos adversaires doivent tous périr le même jour. Les efforts d'aujourd'hui ne servent à rien.

Voyant l'air épuisé de Lancelot, elle l'emmena à l'auberge du village. À la lueur des chandelles, il aperçut trois écus pendus au mur de sa chambre. Quelques instants après, la jeune fille le rejoignit. Elle avait retiré ses voiles, et il reconnut une des suivantes de la dame du lac.

– Ma dame a préparé pour vous ces écus. Demain au combat, portez-les tour à tour. Quand votre fatigue sera trop grande, ils vous donneront la force de plusieurs chevaliers.

Tout en parlant, elle les lui tendait l'un après l'autre.

– D'abord celui-ci, d'**argent** orné d'une bande de gueules. Puis celui qui porte deux bandes, enfin celui aux trois bandes.

Argent : blanc lorsque l'on parle d'un blason.

– Où sera l'honneur de vaincre, si des armes enchantées me protègent ?

– Pour vaincre l'ennemi que vous affronterez demain, il faut joindre à la force du meilleur des chevaliers les enchantements de la fée du lac. Obéissez à votre mère, il en naîtra pour tous un grand bien.

Le lendemain, Lancelot suivit les ordres de la dame du lac. À trois reprises, se sentant épuisé, il changea de bouclier, et ses forces lui revinrent, intactes. Après avoir vaincu les dix chevaliers de la première porte, il entra dans l'enceinte du château, prêt à charger les dix défenseurs de la seconde porte. Au-dessus du rempart se dressait un immense chevalier de bronze. Lancelot fixa le visage de la statue ; sous son regard elle s'effondra et se brisa sur le sol. Dans l'instant, la porte s'ouvrit toute seule et les malheureux prisonniers de la Douloureuse Garde sortirent en criant leur joie. La Douloureuse Garde devenait la Joyeuse Garde. Lancelot avait aboli le **maléfice** et sa plus belle récompense l'attendait dans le cimetière du château. La dame du lac ne lui avait jamais révélé ses origines. Or il découvrit, dans une tombe que lui seul parvint à ouvrir, qu'il était le fils du roi Ban de **Bénoïc** et de la reine Élaine.

Maléfice :
mauvais sort.
Bénoïc :
royaume imaginaire
de Petite Bretagne.
Son roi Ban
et sa reine Élaine sont
les parents de
Lancelot.

Le récit de cet exploit parvint jusqu'à Camaalot. Le roi et les compagnons de la Table ronde décidèrent qu'à son retour Lancelot serait admis parmi eux. La reine attendit son retour avec plus d'impatience encore.

« Ne reste pas dans les châteaux ; va par tous les pays, en quête d'aventures et de merveilles. Et qu'il ne reste derrière toi aucun exploit à accomplir.»

Ce conseil de Viviane, Lancelot le suivit chaque jour pendant des années. Toujours en errance, il passait peu de temps à la cour. Sa passion pour la reine continuait à grandir et elle lui avait souvent prouvé qu'elle l'aimait aussi. Il avait juré de la servir en tout, et toujours. Mais la reine était une amante exigeante. Pendant tout un tournoi, elle lui avait demandé, comme preuve d'amour, de combattre au pire, donc se laisser vaincre, et il avait obéi. Elle ne lui avait permis de montrer sa supériorité qu'à la dernière joute.

Alors qu'il venait de risquer sa vie pour aller la chercher au **Pays dont Nul ne Revient**, où le noir Méléagant l'avait entraînée, elle l'avait accueilli avec une extrême froideur : n'avait-il pas hésité un instant avant de monter dans la charrette qui allait le conduire vers elle ? Elle savait parfaitement que rien n'était plus déshonorant pour un chevalier que d'être vu dans un tel attelage. Ce n'étaient là que quelques exemples. Mais Lancelot continuait à accomplir des exploits sans pareil pour l'amour de sa dame.

Pays dont Nul ne Revient : territoire de l'Autre Monde au royaume des Morts.

En même temps, Lancelot protégeait et servait le roi avec plus de fidélité et de courage qu'aucun autre. Si la plupart des compagnons de la Table ronde semblaient ne pas s'apercevoir de la passion qui liait la reine et le meilleur des chevaliers, Morgane, qui avait vite compris la force de cet amour, ne pouvait pardonner l'infidélité de Guenièvre et le déshonneur infligé à son frère. Elle envoyait régulièrement à la cour quelques messagères qui ne se privaient pas de glisser ici et là des remarques perfides, mais le roi ne voulait rien entendre.

LA COURTOISIE, apparue dans le sud de la France au XIᵉ siècle, est une nouvelle manière d'aimer, une relation très raffinée, fondée sur l'amour voué par l'homme, chevalier ou troubadour, à celle qu'il a choisie et qu'il nomme sa dame. La courtoisie donne rapidement son nom à tout un comportement social réservé à l'élite de la noblesse.

Le jardin médiéval
Les jardins, enclos dans le château, plantés de fleurs ou de végétaux odorants, sont ornés de fontaines et entourés de vergers fleuris. Ils offrent aux amoureux de la vie courtoise le lieu idéal où se rencontrer et où écouter des poèmes, de la musique, des contes.

Jardin médiéval, site du F dans la Creuse

L'amour courtois

Cet amour exalte la soumission voulue de l'homme à celle qu'il aime. L'amour pour la dame doit rester secret. Il est pour celui-ci une source de joie souvent, de douleur parfois, et surtout de prouesses. Pour plaire à celle qu'il aime et se montrer digne de son amour, le chevalier accomplit les plus grands exploits. Il rivalise de bravoure, de force et de courage.

Ménestrel devant son auditoire

Ménestrels et troubadours

Les premiers à chanter la courtoisie ou la *fin'amor*, sont les poètes de langue d'oc, dans le sud de la France.

Joueuses de flûte traversière

La dame courtoise

Outre sa beauté, elle doit être bonne cavalière, savoir chasser au faucon, jouer de la musique, chanter en s'accompagnant à la harpe ou au luth, danser. Elle connaît les poètes et compose elle-même poèmes et chants. Elle est capable de converser sur la subtilité des relations amoureuses et leur philosophie.

66 Sa passion pour la reine continuait à grandir. Il avait juré de la servir en tout, et toujours. 99

Le chevalier

Il possède la noblesse du cœur, la maîtrise de ses sentiments et la conscience de sa valeur. Une de ses qualités essentielles est la générosité, la *libéralité* : il doit distribuer autour de lui dons et richesses. La beauté est indissociable de la vie courtoise, comme la jeunesse, l'esprit aventureux, le désir de plaire. Aussi l'élégance de la toilette, la somptuosité de la parure, la richesse des armes et des armures vont de pair avec le raffinement des mœurs : les costumes sont colorés, les tissus de soie arrivent d'Orient, l'or et les joyaux étincellent...

Un chevalier fait ses adieux à sa dame

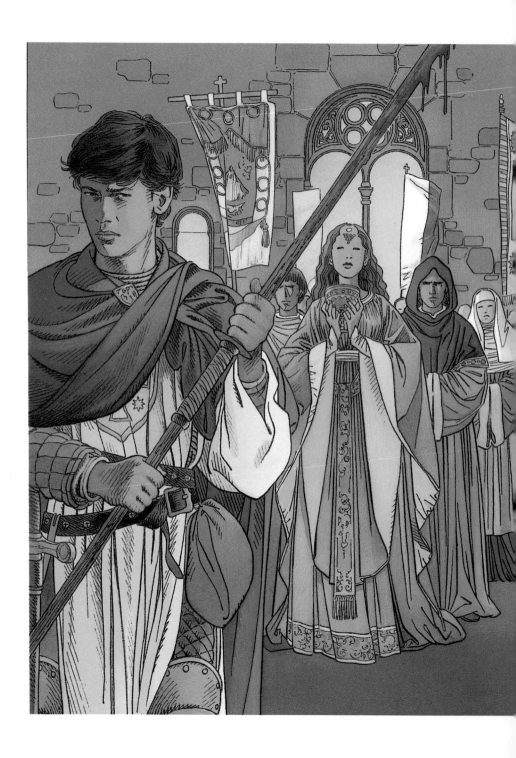

Le Graal

La cour et les chevaliers étaient émerveillés par l'aventure que leur contait Perceval le **Gallois**. Un soir, dans un château perdu au cœur d'une terre déserte, invité par le Roi Pêcheur, un souverain infirme qui pêchait sur un lac, il avait vu défiler devant lui une procession baignée d'une clarté surnaturelle. Au centre du cortège rayonnait le Graal, porté par une belle jeune fille ; un jeune homme marchait devant elle, tenant une blanche lance : de sa pointe coulait du sang. Perceval n'avait pas osé demander au roi ce qu'était cette coupe du Graal, à qui l'on en faisait le service, et le secret de la lance.

Il venait de finir son récit quand une jeune fille d'une épouvantable laideur entra dans la grande salle de Camaalot. Avec violence, elle se mit à insulter Perceval :

– Parce que tu n'as posé aucune question en voyant le Graal et la lance, la terre cessera de produire, les femmes deviendront veuves, les jeunes filles orphelines, et tous les chevaliers mourront ! Par ta faute encore, le Roi

Gallois : habitant du pays de Galles, une région celtique de l'ouest de la Grande-Bretagne.

Pêcheur continuera à souffrir du coup douloureux qui l'a rendu infirme. Maudit sois-tu, Perceval, tant que tu n'auras pas réparé le tort que tu as causé !

Perceval jura de ne pas dormir deux nuits de suite dans la même demeure avant d'avoir retrouvé le château du Graal et posé les questions qui rendraient joie et prospérité au royaume du Roi Pêcheur. Et pendant cinq années, il tint parole.

Après son départ, le Graal devint l'obsession de la Table ronde. D'une infinie beauté, la coupe merveilleuse nourrissait l'âme aussi bien que le corps, le jeune chevalier et la demoiselle Hideuse l'avaient assuré. D'où pouvait venir un objet capable d'apporter tant de bienfaits ? Les uns affirmaient qu'il prenait son origine dans le monde des fées et des forgerons légendaires. Les autres étaient persuadés que ses grandes vertus lui avaient été données par le Christ, qui n'est que bonté et compassion pour les hommes.

Peu après Merlin arriva. Il prit la parole devant tous les chevaliers de la Table ronde.

– Voici venu le temps de ma troisième mission en ce royaume. Par la première, je vous ai donné un roi. Par la deuxième, la Table ronde a été créée. Il vous reste aujourd'hui à accomplir la plus haute aventure, celle du Graal. Comme Perceval, vous devez partir pour la Quête.

Il se tourna vers le roi et, à voix plus basse :

– Certains s'en iront pour de longues années, d'autres ne reviendront pas. Tel est leur destin.

Tous les chevaliers en âge de le faire choisirent l'aventure, Gauvain le premier. Ils quittèrent ensemble Camaalot, et le roi ne put retenir ses larmes devant son palais vide.

– Comme ma peine est grande de les voir s'en aller ! Jamais on ne reverra une si belle compagnie de chevaliers.

Merlin se pencha vers lui.

– Je pars moi aussi pour ne plus revenir. Viviane m'attend en Brocéliande. Dès mon retour, je lui donnerai le secret d'un enchantement grâce auquel elle m'enfermera à jamais dans la forêt. J'ai longtemps hésité à sacrifier ma liberté, maintenant je désire cette retraite.

– Pourquoi tout quitter ainsi ?

– Je n'écris pas le destin, je le lis, tout au plus. La fin des temps chevaleresques vient de commencer, notre temps se terminera bientôt. Si je dois me retirer loin du monde, que ce soit dans le lieu que j'aime le mieux, auprès de celle que j'aime le plus. Je t'ai aimé comme les hommes aiment leur fils. Maintenant tu dois finir ton chemin seul.

Le lendemain à l'aube, Arthur, seul sur les remparts, vit s'éloigner la haute silhouette noire. Merlin ne se retourna pas une seule fois.

Gauvain chevauchait à travers le pays, mais personne n'avait pu le mettre sur la voie du Graal. Son chemin croisa un soir celui d'un chevalier mortellement blessé. Il tenta de lui porter secours.

– Nul ne peut plus m'aider, répondit l'inconnu. Mais je mourrai apaisé si vous acceptez de continuer ma mission à ma place.

– Je vous en fais la promesse, répondit Gauvain.

– La vie me quitte, je n'ai plus la force de parler, murmura le jeune homme. Mettez mon armure, prenez mon cheval, et laissez-vous guider...

Tels furent ses derniers mots. Gauvain revêtit l'armure, et le cheval le conduisit, à travers une nuit d'orage et de tempête, vers une chapelle isolée où brûlait un unique cierge. Gauvain se croyait à l'abri, sous la protection divine, quand un rire effrayant retentit dans les ténèbres. Le tonnerre se déchaîna, et une gigantesque main noire surgit du mur et éteignit le cierge. Gauvain s'enfuit sur son cheval. Il traversa toute la Bretagne et le lendemain soir, près de la mer, découvrit un château inconnu qui s'élevait au milieu de terres stériles : les ruisseaux étaient vides, les arbres flétris et le bétail squelettique.

En entrant dans la grande salle du château, la première chose que vit Gauvain fut un chevalier mort, allongé sur une longue table. Des chandeliers allumés l'entouraient et une épée brisée était posée sur sa poitrine. Les assistants chantèrent la messe des défunts, puis le roi, maître du château, convia Gauvain à un dîner où apparurent le

Graal, voilé de soie, et la Lance Qui Saigne. À la fin du repas, on apporta l'épée brisée, le roi demanda à Gauvain de la ressouder. Malgré ses efforts, il n'y parvint pas.

– Tu n'es pas le héros du Graal, constata alors le roi avec regret ; je vais pourtant répondre à tes questions.

– Parle-moi du mystère de la Lance Qui Saigne, réclama Gauvain.

Mais quand le roi commença à lui expliquer que cette lance était celle du **centurion** Longin qui avait percé le flanc du Christ, Gauvain s'endormit, épuisé par sa chevauchée. Le lendemain, il se réveilla auprès de son cheval, seul dans la **lande** ; le château avait disparu.

Lancelot était parti après ses compagnons, et ses pensées allaient plus à la reine qu'au Graal. Un soir, il s'arrêta auprès d'une chapelle, attacha son cheval à un arbre, posa ses armes et son écu, et s'endormit. Il

Centurion : officier romain qui commandait à une troupe de cent hommes.
La lande : terre peu fertile où poussent arbustes et plantes rases. Bouleaux, ajoncs et bruyères sont très fréquents sur les landes.

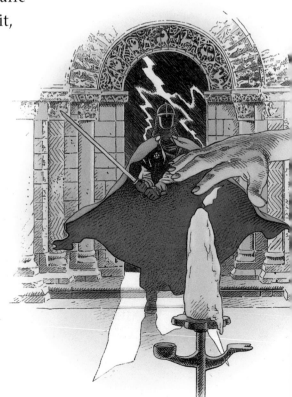

rêva qu'arrivait une litière où était étendu un chevalier blessé. Le chevalier se mit à prier, et la porte de la chapelle s'ouvrit sur une clarté éblouissante. Lancelot ne pouvait voir le Graal, mais il savait qu'il était là, répandant sa lumière et d'exquis parfums. Lorsque la porte se referma, le chevalier était debout, guéri. Il se dirigea vers le cheval de Lancelot, s'empara de son écu, sauta en selle et partit au galop. Au matin, Lancelot se réveilla : son cheval et son écu avaient disparu.

Il continua sa route, s'en remettant à la Providence pour diriger ses pas. Après des années d'errance et d'espoirs déçus, il finit par arriver dans une forêt si sombre et si éloignée de tout qu'il fut étonné d'y trouver un ermitage. Le vieil homme qui s'était retiré là avait été chevalier, dans sa jeunesse.

– Dans ma jeunesse, j'ai tué des hommes et souvent fait preuve de cruauté, avoua-t-il à Lancelot. Je m'en repens dans la solitude, et j'aide, quand je le peux, les voyageurs égarés.

Il offrit à Lancelot un pain noir et aigre, une soupe d'herbes de la forêt et de l'eau de sa fontaine.

– As-tu jamais entendu parler des mystères du Graal ? lui demanda enfin Lancelot.

– Comment ne pas en entendre parler, vous êtes si nombreux à le chercher. Toi aussi, tu désires le trouver ?

– Je devais partir. Mais je ne sais où aller, ni que chercher.

– T'es-tu demandé si tu étais digne du Graal ?

– Je n'étais pas le plus mauvais des chevaliers.

– Étais-tu le chevalier du roi, ou celui de la reine ? Ne réponds pas, je te connais. Tu es Lancelot du lac, le fils du roi Ban de Bénoïc. Tu étais le meilleur de tous, le seul digne de retrouver le Graal. Mais tu as préféré te vouer à l'amour de la reine. Toi seul as hésité un instant à entreprendre la Quête. Je peux à l'instant te montrer le chemin du château du Graal, il est à portée de ta main. Pour le suivre, tu dois renoncer à jamais à Guenièvre. Choisis !

Lancelot baissa la tête sans répondre.

À la cour du roi Arthur n'étaient restés que des écuyers et des pages, et quelques très vieux chevaliers. Tous accompagnaient le roi quand il se déplaçait dans **ses différentes capitales**. De Nantes à Édimbourg, ils parcouraient le royaume et recueillaient des nouvelles de la Quête. Ils connurent les épreuves de Lancelot, de Gauvain, de Bohors et de tant d'autres, leurs échecs aussi. Le roi avait appris avec tristesse que la Quête avait été l'ultime aventure de plusieurs bons chevaliers. Les années passaient, le roi vieillissait, et le Graal continuait à se dérober, comme un mirage mortel pour la Table ronde.

Ses différentes capitales :
le roi Arthur réunit sous son autorité de très vastes royaumes, dont chacun garde sa capitale. Camaalot se place au-dessus de toutes ces villes.

L'EUROPE EST CHRÉTIENNE, aux XIIe et XIIIe siècles, à l'exception de l'Espagne musulmane, et des dernières populations païennes, en Russie et sur les bords de la Baltique. Depuis 1050, la chrétienté se partage en deux communautés : l'Église catholique romaine dont le chef est le pape, et l'Église catholique grecque, ou Église orthodoxe.

Le clergé

Le pape est à la tête de l'Église. Les diocèses, dirigés par les **évêques**, sont divisés en paroisses à la tête desquelles est placé un curé. Les moines et les moniales vivent dans les monastères.

Les cathédrales

À partir du XIIe siècle, à travers toute l'Europe, s'élèvent de hautes cathédrales construites en style gothique. Les sculptures, vitraux et murs peints racontent l'Histoire sainte aux fidèles.

Repas de pèlerins

Les pèlerinages

Les fidèles s'organisent en convois pour gagner des lieux réputés comme le Mont-Saint-Michel, Conques, Saint-Jacques-de-Compostelle, Rome ou Jérusalem. Sur la route, les dangers sont si nombreux que l'on dicte ses dernières volontés avant d'entamer un pèlerinage lointain.

Les bâtisseurs

On a estimé qu'il y avait au Moyen Âge une église pour 200 habitants. Les maîtres maçons circulent à travers l'Europe pour construire cathédrales, églises et abbayes. Les ecclésiastiques, les nobles, les marchands unissent leur pouvoir pour doter villes et campagnes de sanctuaires nouveaux.

Crosse d'évêque

"Ses grandes vertus lui avaient été données par le Christ, qui n'est que bonté et compassion pour les hommes."

L'ordination d'un prêtre

Les abbayes
Ce sont des lieux de paix et de prière. Les abbayes possèdent de vastes domaines qu'elles font fructifier, des bâtiments, des trésors d'orfèvrerie religieuse. Elles abritent et perpétuent le savoir dans leurs bibliothèques et leurs scriptoriums, où les moines copient les livres. Enfin, la population des alentours s'y fait dispenser des soins.

Abbaye de Sénanque, dans le sud de la France

La trahison de Mordred

Perceval avait longtemps désespéré de retrouver le château du Graal. Il avait cru y parvenir à maintes reprises, mais l'aventure qu'il rencontrait n'était jamais celle de la coupe mystérieuse. Auprès d'une rivière, devant un château tout semblable à celui du Graal, il franchit un pont-levis et pénétra dans une cour, déserte comme tout le reste de la demeure. Un échiquier d'or et d'ébène était disposé dans une salle richement décorée. Il déplaça machinalement une pièce. L'échiquier répondit. Amusé, Perceval joua un autre coup. Quelques instants plus tard, l'échiquier l'avait **fait mat**. La scène se reproduisit par trois fois. Furieux, Perceval saisit le plateau et les pièces pour les jeter par la fenêtre qui donnait sur les **douves**.

– Ne fais pas cela ! Cet échiquier m'a été offert par la fée Morgane. Ce serait un crime de le perdre.

Une voix de femme ! Abasourdi, Perceval vit s'élever, au-dessus des eaux qui cernaient le château, une jeune

Faire mat : aux échecs, celui qui fait son adversaire mat a gagné en neutralisant le roi.
Douves : profonds fossés, souvent remplis d'eau, qui entouraient les châteaux pour les protéger.

femme vêtue de soie rouge semée d'étoiles d'or. Il lui tendit les bras pour l'aider à entrer dans la salle.

Il passa la nuit avec elle et partit au matin chasser, à sa demande, le blanc cerf. Cette chevauchée le mena vers une autre aventure, puis vers une autre encore. Perceval les accepta, comme doit le faire un chevalier, mais il lui semblait être toujours aussi loin du Graal. Quand il revint enfin vers la dame du château de l'Échiquier Magique, elle le conduisit à un grand bateau ancré sur la rivière.

Nef : navire, vaisseau.

– Monte à bord de cette **nef**, elle te conduira de l'autre côté de la rivière, vers le pays du Roi Pêcheur.

– Avant de venir en ton château, j'étais sur l'autre rive, et je n'ai pas vu le château du Graal.

– Tu n'étais pas prêt. C'est le Graal qui décide qui il choisit et à quel moment.

Perceval chevaucha plusieurs jours, et son chemin le conduisit à la chapelle de la Main Noire. Sans le savoir, il vécut la même scène que Gauvain, mais, plus confiant, il ne s'enfuit pas de la chapelle. Au matin, les tours du château du Roi Pêcheur se dressèrent devant lui. Le roi l'accueillit avec une immense joie et le convia à partager son repas. Perceval se demandait avec anxiété s'il allait revoir le Graal. Son attente ne fut pas déçue. Le Graal et la lance parurent, aux mains de deux belles jeunes filles ; un jeune homme les suivait, porteur de l'épée brisée. Au passage du

Graal, les plats et les assiettes se garnissaient de mets riches et délicieux. Le roi se tourna vers Perceval ; l'espoir et l'anxiété se lisaient sur son visage. Perceval se revit, tout jeune homme, muet devant le Graal. Saurait-il poser les bonnes questions, et dans quel ordre devait-il les poser ? Il choisit de suivre l'ordre du cortège : il demanda d'abord ce qu'était le Graal, puis la lance, puis l'épée.

Le roi l'écouta en silence et se pencha vers lui.

– Tu as mérité d'entendre les réponses. Le Graal est la coupe qui a reçu le sang du Christ en croix. Un saint homme nommé Joseph d'Arimathie l'avait apportée en Bretagne et elle avait disparu après sa mort. La lance a blessé le Christ au flanc. L'épée est celle dont le coup douloureux m'a rendu infirme, moi le gardien du Graal.

Perceval écoutait, confiant.

– Il te reste une épreuve à accomplir, et je serai libéré, ajouta gravement le Roi Pêcheur.

Il commanda qu'on lui apporte l'épée brisée. Sans un mot, Perceval posa ses mains sur les deux tronçons, les rapprocha et attendit. Il ne sentit même pas une vibration, mais sous ses yeux les deux morceaux se fondirent l'un dans l'autre, et le jeune homme rendit au vieux roi une épée claire et brillante.

– Tu as posé les questions, tu as ressoudé l'épée. Demain mon pays sera vert et fleuri et mes sujets chanteront tes louanges. Regarde-moi ! Tu m'as guéri et tu m'as délivré.

La voix du roi vibrait de joie. Il paraissait rajeuni. Il se leva et traversa la salle, comme s'il n'avait jamais souffert de la moindre blessure. Puis il se rassit auprès de Perceval.

– Revêts maintenant ton armure noire, et pars sur ton destrier blanc vers la cour du roi Arthur. Raconte-lui ton aventure : que le roi la fasse mettre par écrit, car il n'en est pas de plus noble. À la Toussaint, reviens en mon château avec lui, il te couronnera et tu régneras à ma place. Je gagnerai enfin le repos que j'ai mérité.

Le retour de Perceval provoqua la joie et la fierté du roi Arthur. Mais les chevaliers revinrent les uns après les autres à la Table ronde, tristes et las. Ils savaient que pareille aventure ne reviendrait jamais, et qu'ils n'avaient pas été choisis pour la mener à bien. Lancelot fut l'un des derniers à regagner Camaalot. Il avait décidé de ne pas rester à la cour, et de s'efforcer d'oublier la reine. Il ne s'attendait pas à la revoir si belle. Leurs amours reprirent comme autrefois.

C'est à ce moment qu'arriva auprès du roi Mordred, le plus jeune de ses neveux. Mordred était très beau, et pourtant il avait quelque chose d'impitoyable et de sournois que sa beauté ne parvenait pas à masquer. Il aimait faire planer le doute sur sa naissance et laisser entendre qu'Arthur était son vrai père : sa mère Morcade, la plus jeune fille d'Ygraine, le lui aurait révélé avant de mourir.

Jamais il n'évoquait cela devant le roi, et personne n'aurait osé rapporter au souverain des propos aussi infamants. Très vite, il se lia d'amitié avec tous les aigris, les mécontents. Il les amena à penser que seul un jeune souverain de la lignée des Pendragon pouvait encore sauver le royaume.

Il ne fallut pas longtemps à Mordred pour découvrir le secret de Lancelot et de Guenièvre. Agravain, son cousin, détestait le chevalier et la reine. Ils tendirent un piège aux deux amants. Surpris en pleine nuit, Lancelot put s'enfuir, mais Guenièvre fut condamnée à être brûlée vive. Le

jour de son supplice, alors qu'elle était déjà sur le bûcher, Lancelot et ses amis fidèles vinrent la délivrer. Gaheriet, le frère de Gauvain et d'Agravain, fut tué dans le combat. Une haine sans limites naquit ce jour-là dans le cœur de Gauvain.

Lancelot avait conduit la reine en Petite Bretagne, dans son château de Joyeuse Garde. Le roi Arthur alla l'assiéger. Pendant une escarmouche devant la Joyeuse Garde, le roi Arthur fut **désarçonné** et tomba aux pieds du cheval de Lancelot. Malgré les **exhortations** de ses amis, le chevalier épargna son souverain.

Désarçonné : l'arçon est l'armature de la selle. Être désarçonné signifie être jeté à bas de sa selle.
Exhortation : encouragement.

– Jamais, même pour l'amour de ma dame Guenièvre, je n'accomplirai pareil crime. Je suis le chevalier du roi, et j'ai juré de protéger sa vie, même au prix de la mienne.

Ce jour-là, Gauvain reçut à la tête une très grave blessure.

Le siège s'éternisait, le nombre de morts et de blessés augmentait. Lancelot vint parler à Guenièvre :

– Ma dame, cette querelle doit prendre fin. Vous êtes la reine, le royaume a besoin de vous. Je vais vous reconduire au roi votre époux.

– Il me condamnera à nouveau.

– Je m'engage à ce qu'il promette

solennellement de veiller sur vous. Votre rang et les honneurs que vous méritez vous seront rendus.

– Nous reverrons-nous un jour ?

– En ce monde, je ne peux vous le jurer. Je n'ai vécu que par vous et pour vous, et il en sera ainsi jusqu'à mon dernier souffle. Plus tard, l'Autre Monde nous accordera la joie que celui-ci nous a refusée.

Arthur revint dans l'île de Bretagne. Les temps étaient décidément très noirs pour lui : il apprit en arrivant dans sa capitale que des armées venues de Rome avaient attaqué les terres de Bourgogne et menaçaient Paris.

Arthur se devait de défendre ses alliés. Il repassa la mer, emmenant avec lui ses meilleurs chevaliers ; bien que très affaibli, Gauvain supplia Arthur de lui laisser livrer cette dernière bataille. Arthur céda. Il ne soupçonnait pas la fausseté de Mordred : il lui laissa la régence et lui demanda de veiller sur la reine.

La bataille contre les Romains fut exemplaire. Les partisans d'Arthur furent étonnés de le voir se conduire avec autant de fougue et de savoir-faire qu'en sa jeunesse. Mais la victoire fut amère. L'état de Gauvain s'était aggravé : à l'évidence, il n'avait plus que quelques jours à vivre. Un messager arriva, porteur d'une lettre de Guenièvre : Mordred avait rallié à sa cause une grande partie du peuple et de la noblesse et passé des alliances avec le roi des **Saxons**, le plus ancien ennemi d'Arthur. Il s'était emparé du pouvoir et avait tenté d'épouser de force la reine, qui s'était réfugiée dans la tour de Londres et craignait pour sa vie.

– Mes amis, mes chevaliers, le mal est venu de l'intérieur et je n'en ai rien deviné. Nous rentrons dans l'île de Bretagne. Kay, tu vas passer par la Petite Bretagne et y rassembler tous les hommes fidèles que tu y trouveras. Yvain, Bedevere, Girflet, Sagremor, commencez dès maintenant à organiser les **corps de bataille**. Le combat qui nous attend est le plus terrible que nous ayons jamais livré car nous devrons affronter nos frères et nos amis.

Ils écoutaient le roi en silence. Le ciel était noir et la mer agitée quand ils embarquèrent. À leur arrivée dans l'île de Bretagne, les marins et les paysans les accueillirent avec soulagement et confiance.

– Notre roi n'est pas mort, comme le bruit en a couru. Il revient, il a Excalibur à son côté, rien ne peut lui arriver. Gloire à notre roi Arthur !

Le roi se dirigea d'abord vers Londres pour délivrer la reine, puis partit vers l'ouest à la tête de son armée. Il retournait dans sa vieille capitale de Winchester, où Kay devait le rejoindre, avec ses Bretons fidèles.

Quelques heures après leur entrée dans la ville, Gauvain envoya chercher le roi.

– Mon oncle, je vais bientôt vous quitter, et j'ai un grand chagrin de vous laisser seul face à ce démon de Mordred. Mon oncle, ne laissez pas la colère vous priver de Lancelot. Envoyez-le chercher dès aujourd'hui, lui seul peut vous assurer la victoire. Vous lui direz mon adieu, et que je lui ai rendu mon amitié. Dites mon amour à la reine. Faites-moi enterrer à Camaalot avec mes frères. Adieu, mon roi, mon souffle s'en va.

Il joignit les mains, ferma les yeux, et la mort le prit doucement.

LA DÉCLARATION DE GUERRE n'est pas réservée aux rois. Tout seigneur peut se lancer dans une guerre privée, entraînant avec lui ses vassaux. À l'origine de ces conflits se trouvent des rivalités, des vengeances, des querelles pour la possession d'un domaine.

Bassinet

Première croisade : prise de Jérusalem

Les guerres
Elles peuvent durer de longs mois. On ne se bat ni l'hiver, ni par temps de pluie. Les grandes batailles sont très rares, les combattants se livrant plutôt à des embuscades, à des attaques limitées, à la destruction des réserves de l'ennemi.

Édouard, le Prince Noir

Les croisades
Dès 1095, le pape engage les chrétiens à aller reprendre la Terre sainte aux Infidèles (les musulmans). Hommes et femmes, guerriers, laïcs et clercs, rois et reines prennent la route par terre et par mer.

Les sièges
Ils peuvent durer de quelques jours à plusieurs années. Les assiégeants s'installent sous les murailles, érigent des machines de guerre, catapultes ou trébuchets, pour détruire les remparts, et sapent les murs. Ils dressent des défenses et creusent des fossés pour se protéger des assiégés. Ceux-ci ripostent avec d'autres machines de tir et des flèches. Parfois, ils déversent de la poix ou de l'huile bouillante sur leurs assaillants.

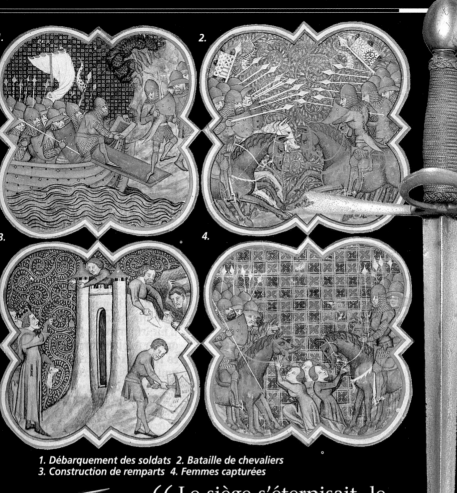

1. *Débarquement des soldats* 2. *Bataille de chevaliers*
3. *Construction de remparts* 4. *Femmes capturées*

❝ Le siège s'éternisait, le nombre de morts et de blessés augmentait. ❞

L'équipement
Il comprend le haubert, ou cotte de mailles, et le heaume pour protéger la tête. Par-dessus le haubert, le chevalier porte sa cotte d'armes. Les chevaliers combattent habituellement à la lance et à l'épée. Ils utilisent parfois la hache et la masse d'armes, pour le combat au corps à corps, et se protègent toujours avec un bouclier.

Dague

La mort d'Arthur

Le roi chevauchait à nouveau à la tête de ses chevaliers : la trahison de Mordred lui avait redonné le goût du combat. Le royaume ne pouvait tomber entre les mains d'un être aussi indigne. Durant les derniers mois, beaucoup de barons avaient rallié Mordred. Les menaces de guerre en ramenaient certains aux côtés de leur roi, mais Arthur souffrait de la mort de Gauvain. Il le voyait souvent dans des rêves où son neveu le suppliait de ne pas combattre Mordred sans l'aide de Lancelot. Or Arthur ne se décidait pas à rappeler Lancelot.

Chaque jour des nouvelles arrivaient, alarmantes. Mordred s'était emparé d'une **place forte**, il passait des alliances dans des royaumes étrangers avec les ennemis du roi. Les conseillers d'Arthur le poussaient à un combat qu'il redoutait. Ses troupes étaient inférieures en nombre et ses chevaliers, vieillissants. Autour du roi, on insistait.

Place forte : ville ou château défendu par des fortifications, remparts et fossés.

– Dans nos anciennes batailles, le sort nous a toujours été favorable, même lorsque nous nous battions à un contre dix. Nous n'avons pas perdu notre courage, ni notre habileté aux armes.

Mais le roi savait que son meilleur conseiller était maintenant prisonnier dans la forêt de Brocéliande.

Plaine de Salesbières : sans doute la très grande plaine de Salisbury, en Angleterre.

Enfin on apprit que Mordred regroupait son armée dans la **plaine de Salesbières**. De là, il comptait marcher vers la Cornouailles, vaincre le roi, et franchir la mer pour s'emparer de la Petite Bretagne. Arthur convoqua aussitôt ses barons et dressa ses plans de bataille. L'armée royale se mit en route vers Salesbières.

Ils arrivèrent à la nuit tombante. Arthur se rappelait les premiers jours de son règne. Merlin l'avait conduit sur une colline qui dominait la plaine, et lui avait montré une roche portant une très ancienne inscription : *En cette plaine se fera la bataille mortelle qui laissera le royaume orphelin.* Arthur, jeune et conquérant, n'avait pas compris que cette prédiction lui était destinée.

Le roi se coucha, agité de sombres pressentiments. Il n'avait pas retrouvé le fourreau d'Excalibur, mystérieusement disparu de ses coffres. Il rêva qu'une dame très belle le faisait asseoir en haut d'une immense roue, la roue de la **Fortune**. De là il voyait tous ses royaumes. Puis la dame fit tourner la roue, et le roi se trouva précipité sur le sol où grouillaient des serpents et des scorpions. Le choc le réveilla. Il avait compris ; son règne se terminait, le lendemain il serait couché sur le sol, atteint de cruelles blessures. Il se sentit très calme.

Fortune : ici, destin. La dame qui fait tourner la roue personnifie la déesse de la destinée.

– Je me battrai de toutes mes forces, se dit-il, et qu'importe ma mort, si j'ai pu auparavant nous délivrer de Mordred.

Le soleil se leva sur les deux grandes armées qui se faisaient face. Un messager de Mordred s'en

vint demander une heure de trêve, pour tenter de sauver la paix. Le roi, Yvain et Kay acceptèrent de rejoindre Mordred et deux de ses capitaines au milieu de la plaine. Avant de quitter son camp, Arthur donna ses ordres :

– Si jamais vous voyez une épée levée bien haut, ce sera signe de trahison. Attaquez aussitôt.

Mordred laissa la même consigne.

Les pourparlers commencèrent. Arthur s'efforçait de faire taire sa colère, et Mordred semblait moins sûr de vaincre : comme lui, le roi Arthur alignait dix corps de bataille. Un instant, on crut la paix possible. Mais la chaleur du soleil attira une vipère qui se glissa dans l'herbe jusqu'aux pieds de Kay. Instinctivement, celui-ci leva son épée pour tuer le serpent. Les deux armées virent son geste, et le scintillement de l'arme dans le soleil. Avec un hurlement sauvage, des milliers d'hommes se précipitèrent les uns contre les autres. La roue de la Fortune venait de tourner.

Tout le jour, les charges à cheval se succédèrent. Les chevaux tombaient, les lances se brisaient, les hommes hurlaient de douleur, puis se taisaient. Gallois, Écossais, Bretons s'affrontaient dans une épouvantable mêlée **fratricide**. Le roi et ses chevaliers étaient partout, regroupant les hommes, conduisant les troupes, revenant sans cesse là où la ligne du front était menacée. Mordred et les siens n'étaient pas moins hardis et courageux. Tout au long de

Fratricide : qui tue son frère. Gallois, Bretons, Écossais font partie des peuples celtiques, peuples qui se considèrent comme frères.

la journée furent accomplis d'innombrables exploits que personne ne raconterait à la Table ronde. Au crépuscule, le silence se fit sur la plaine jonchée des cadavres des hommes et des animaux. Le soleil couchant étendait une lueur sanglante sur les morts et les blessés, à perte de vue. Durement touché, le roi Arthur se battait encore. Il aperçut enfin Mordred. Le jeune homme vacillait sur sa selle, et son armure était maculée de sang. Les deux hommes lancèrent leurs chevaux l'un vers l'autre, la lance bien en

main. Arthur savait qu'il combattait pour le bien. Cette certitude arma son bras d'une terrible force. Il se rua sur Mordred et sa lance traversa l'armure, le haubert et le corps de son ennemi. Lorsqu'il retira son fer, les rayons du soleil brillèrent au travers de la blessure. Mordred se vit perdu. Dans un ultime élan de rage, il abattit son épée sur le roi, et expira dans ce mouvement. Arthur, ruisselant de sang, s'effondra sur le sol.

Girflet se précipita vers le roi.

– Aide-moi à me remettre en selle et emmène-moi vers la mer, lui ordonna-t-il.

Les deux hommes quittèrent le champ de bataille dans la lumière du crépuscule.

Ils passèrent la nuit sur un petit tertre, au pied d'une chapelle en ruine. Lorsque le jour se leva, Girflet trouva le roi éveillé, très pâle, à bout de forces.

– Hisse-moi sur mon cheval, je veux me rapprocher du rivage, murmura le souverain.

Ils passèrent une partie de la journée sous des arbres, pas très loin de la mer. Lorsque le soleil commença à descendre sur l'horizon, le roi s'adressa à Girflet :

– Mon heure approche. Avant de m'en aller, j'ai un devoir à accomplir : tu vas t'en acquitter pour moi. Prends mon épée Excalibur, et trouve un lac d'eau douce et profonde. Quand tu l'auras trouvé, tu y jetteras l'épée ; reviens ensuite me dire ce que tu as vu.

Girflet obéit. À peu de distance, il trouva un lac. Il prit Excalibur dans sa main et la regarda longuement. Le roi n'avait pas pu donner un ordre pareil. Comment jeter à l'eau cette belle épée donnée par les fées ? Girflet posa l'épée dans l'herbe et revint au galop vers le roi.

– As-tu jeté l'épée ?

– Oui.

Pour la première fois, Girflet venait de mentir au roi.

– Qu'as-tu vu, quand tu as jeté l'épée ?

– J'ai vu le soleil scintiller sur le lac.

– Tu n'as pas jeté l'épée. Obéis-moi. Va, et lance Excalibur dans les eaux.

Girflet repartit au galop. Parvenu au bord du lac, pour la deuxième fois il ne put se résoudre à obéir. Alors, il s'empara du fourreau de sa propre épée et le lança dans le lac d'un large mouvement.

Arthur questionna à nouveau Girflet :

– Qu'as-tu vu quand tu as jeté l'épée ?

– Je n'ai rien vu, qu'un peu de vent à la surface de l'eau.

– Tu ne l'as donc pas jetée ! Pourquoi me torturer ainsi ? Va et obéis au dernier ordre que je te donne : jette Excalibur dans le lac. Va et ne t'inquiète pas ni d'elle ni de moi.

L'écuyer repartit et arrivé sur la berge, sans un instant d'hésitation, lança Excalibur très haut. Il sembla à Girflet que la nature entière faisait silence, et que l'épée tombait

avec une extrême lenteur. Lorsque Excalibur arriva tout
près du miroir des eaux, un bras de femme vêtu de soie
blanche sortit du lac. L'épée vint d'elle-même se placer
dans la main tendue. Un instant immobile, la main merveilleuse éleva par trois fois Excalibur dans le soleil couchant, puis disparut sous les eaux. Le silence était total, la
surface du lac brillait comme de la glace.

Girflet revint au galop vers le roi, tremblant de le trouver sans vie. Une pluie extraordinaire se mit à tomber du ciel sans nuages. Les gouttes d'eau scintillaient de mille lumières. À travers l'ondée, Girflet vit un navire immaculé accoster devant le roi. À bord se tenaient neuf dames étroitement voilées de blanc. La plus grande était seule, à la proue. Girflet la reconnut : Morgane elle-même venait chercher son frère pour l'emmener, comme elle l'avait juré, vers son île d'Avalon.

Sous la pluie qui ruisselait, le roi se leva. Il avait revêtu son armure et tenait ses armes à la main. Il prit son cheval par la bride et s'avança vers le navire, dans la lumière surnaturelle de la fin du jour. Morgane fit quelques pas au-devant de lui. Arthur, magnifique dans sa tenue de guerrier, monta à bord. Les dames l'entourèrent, les voiles furent hissées, le navire s'élança vers le couchant. Les yeux brillants de larmes, Girflet suivit des yeux le sillage éblouissant de la nef des fées qui emportait Arthur vers l'île de l'éternelle jeunesse.

– Morgane veillera sur lui en Avalon, murmura Girflet, comme la dame du lac veille sur Excalibur. Les Bretons peuvent commencer à l'attendre, car il reviendra un jour.

Puis il fit faire demi-tour à son cheval et partit proclamer à travers les royaumes d'Arthur la naissance de l'**espoir breton**.

Espoir breton : au Moyen Âge, les Bretons, les Cornouaillais et les Gallois étaient sûrs que le roi Arthur reviendrait un jour et serait à nouveau leur roi.

Le merveilleux antique

L'héritage gréco-latin est connu du Moyen Âge : des philosophes grecs comme Aristote ou des poètes latins comme Virgile sont enseignés dans les universités.

LE MERVEILLEUX, manifestation du surnaturel aux yeux des hommes, inspire l'étonnement, la peur, la curiosité, le plaisir… Qu'ils soient rêves, signes, prodiges, apparitions, les événements merveilleux sont acceptés comme une partie de la réalité qui s'impose à l'homme même s'il ne la comprend pas.

Diane chasseresse

La nature

Elle est peuplée de créatures surnaturelles (fées, lutins, géants) héritées du paganisme et conservées par les contes et récits populaires et dans les romans.

Maître et étudiants

❝ La main merveilleuse éleva par trois fois Excalibur dans le soleil couchant. ❞

Le merveilleux breton

Les contes venus d'Armorique et de Grande-Bretagne apportent toute une tradition de personnages et d'aventures où s'entremêlent l'étrangeté et l'apparence de la réalité. La frontière est mouvante entre ce monde-ci et l'Autre Monde, peuplé de fées, de fantômes et d'animaux fantastiques.

Animaux et monstres

Des bestiaires recensent les animaux fantastiques : licornes, griffons, dragons, basilics… Sur les marchés et chez les apothicaires, on trouve des morceaux de ces bêtes fabuleuses.

Animal fantastique

L'art

Dans la peinture, la sculpture, la tapisserie, les créatures fantastiques sont innombrables. Les porches et les chapiteaux des églises abritent sirènes, griffons, serpents de toutes sortes. Sur les tapisseries, les fresques ou les armoiries courent licornes et hommes sauvages.

Le voyage

Il offre une des plus sûres façons de rencontrer le merveilleux. L'Orient et l'Inde attirent particulièrement. Le grand récit de voyage du Moyen Âge est celui du marchand vénitien Marco Polo. Celui-ci s'embarque en 1271 à Venise, traverse la Turquie et l'Iran, franchit le Pamir et va jusqu'en Chine. À son retour à Venise, il raconte ses aventures dans le *Livre des merveilles du monde*.

Illustration tirée du **Livre des merveilles du monde**

LE ROMAN ARTHURIEN

Quand apparaissent les romans arthuriens, l'Europe vit un temps de paix et de prospérité que l'on appelle parfois la «Renaissance du XIIᵉ siècle». Les poètes composent, en langue romane, langue issue du latin et parlée par tous, des œuvres faites pour émouvoir et distraire. Du nom de la langue découle celui des œuvres : ainsi naît le roman.

LES PRÉCURSEURS

En 1136, Geoffroy de Monmouth, moine gallois, rédige en latin l'*Histoire des rois de Bretagne,* où il célèbre le règne glorieux du roi Arthur. Ce livre connaît un succès extraordinaire. Vers 1160, Robert Wace, de Jersey, le traduit en langue romane et mentionne pour la première fois la Table ronde et la forêt de Brocéliande. Dans le même temps, Béroul met par écrit le destin tragique de *Tristan et Iseult,* un des apports majeurs de la culture celtique à la littérature européenne. Puis Marie de France, poétesse à la cour d'Angleterre, adapte sous forme de lais, courts récits en vers destinés à être déclamés ou chantés, les contes d'aventures merveilleuses des Bretons.

CHRÉTIEN DE TROYES

On sait peu de choses de cet auteur, qui va porter le roman arthurien à son plus haut niveau. Il vit à la cour de Marie de Champagne, fille d'Aliénor d'Aquitaine, puis à celle de Philippe d'Alsace, comte de Flandres. Ses romans ont pour cadre la cour idéale du roi Arthur où les chevaliers, soumis aux lois de la courtoisie, partent en quête de l'aventure

Les trois sources
Les auteurs composent leurs romans, comme le veut l'usage, à partir de récits, de livres, d'histoires venus du passé, et dont l'ancienneté fait la valeur. Ils puisent dans ce que l'un d'eux, Jehan Bodel, appelle les Trois Matières : la Matière de France (les chansons de geste), la Matière de Rome la Grande (l'héritage gréco-latin) et la Matière de Bretagne, devenue Roman breton, qui réunit des récits issus des mythologies celtiques. Trésor fabuleux, cette Matière est une source d'inspiration durant près de quatre siècles (1100-1500). Nombre d'auteurs y puisent les personnages, les objets merveilleux et les étranges voyages qui tissent leurs œuvres.

et de l'amour. Après Tristan et Iseult et les aventures des chevaliers de la Table ronde, le *Conte du Graal* fait surgir le troisième thème majeur de la Matière de Bretagne. La Quête du Graal devient rapidement une dominante de la littérature arthurienne.

L'ESSOR DU ROMAN ARTHURIEN

À la fin du XIIe siècle, la vogue du roman arthurien a gagné toute l'Europe. Cette mode ne se limite pas à la littérature : la peinture, la sculpture, la tapisserie ou l'orfèvrerie témoignent de l'engouement du public européen cultivé pour le Roman breton. En 1471, Thomas Malory, alors emprisonné, rédige en anglais le dernier grand roman arthurien du Moyen Âge, connu sous le nom de *Morte Darthur*, où il réunit en un récit cohérent un ensemble d'œuvres d'écrivains et d'époques différentes.

LA POSTÉRITÉ DE L'ŒUVRE

À la Renaissance, avec l'imprimerie, le roman arthurien touche les lecteurs de la bourgeoisie, avant de s'endormir pour trois siècles, même si, au XVIIe siècle, le compositeur anglais Purcell écrit l'opéra *King Arthur*. Avec le romantisme, les thèmes arthuriens retrouvent la faveur du public, en France et surtout en Grande-Bretagne. Romanciers, poètes et peintres offrent une nouvelle vision de la Matière de Bretagne. Avec *Lohengrin* et surtout *Parsifal*, Richard Wagner opère la fusion des légendes celtiques et de l'opéra. Au XXe siècle, le cinéma vient ajouter sa touche, celle du mouvement, à ces œuvres inspirées par les légendes de la Table ronde et du Graal.

L'œuvre de Chrétien de Troyes

Il écrivit cinq romans arthuriens en vers entre 1170 et 1190. Parmi eux, *Le Chevalier de la Charrette*, qui met en scène, pour la première fois, Lancelot du lac, *Le Chevalier au Lion*, qui se déroule à Brocéliande, et enfin *Le Conte du Graal*, récit inachevé, qui offre à la littérature un mystère qui fait toujours rêver.

La christianisation du roman

Vers 1200, Robert de Boron écrit trois romans : *Joseph*, *Perceval* et *Merlin*, dont ne restent que des adaptations. Il christianise le récit : Merlin est né du diable et le Graal est identifié à la coupe de la Cène. Il réunit la Passion du Christ aux aventures de la Table ronde.

CRÉDITS PHOTOGRAPHIQUES

h : haut b : bas
d : droit g : gauche
c : centre

5 Sceau de Philippe Le Hardi © Jean Vigne.

16 g : Moines défricheurs, enluminure in *Moralia in Job* de Grégoire Legrand, XIIe siècle, coll. bibliothèque municipale, Dijon © Giraudon.
d : Forêt de Brocéliande, © Jean-Louis Le Moigne/Bios.
h : Cervidés, ours, enluminures, in *Le Livre de la chasse*, Gaston Phébus, XVe siècle, coll. BNF, Paris.

17 c : *Quatrième parabole de la légende de Barmlaam et Josepha*, Livre d'heures français, vers 1290, coll. The Pierpont Morgan Library, New York © Giraudon.
b : Scène de chasse, enluminure in *Le Livre du roi Modur et de la reine* de H. de Ferrières © BNF, Paris.

28 g : Mère et nouveau-né, miniature in *Liber Introductorium ad iudicio*, de Guido Bonatti de Forlivio, 1490, coll. British Library, Londres © The Bridgeman Art Library. c : Enfant à cheval muni d'une batte, stalle, collégiale Saint-Martin, Champeaux © Artephot/J.-P. Dumontier.
d : Conversation devant le feu miniature in *Tacuinus Sanitatis*, XIVe siècle, coll. Osterreichische Nationalbibliothek, Vienne © Alinari-Giraudon. b : Un moine enseigne la lecture à des enfants, manuscrit XVe siècle, coll. bibliothèque Mazarine, Paris. © Jean Vigne.

29 c : Leçon d'équitation, miniature in *Tacuinus Sanitatis*, XIVe siècle, coll. Osterreichische nationalbibliothek, Vienne © Alinari-Giraudon.

38 h *Couronnement du roi et de la reine de France*, Charles V, enluminure, XIVe siècle, coll. British museum © Edimédia. b : Page de titre de la *Deuxième décade*, prise d'une ville, fin XIVe siècle, coll. bibliothèque municipale, Bordeaux © Jean Vigne.

39 g : Main de justice des rois de France, offerte par Saint Louis aux dominicains de Liège, coll. musée du Louvre, Paris © RMN. c : Couronne du Saint Empire romain, Xe siècle, coll. Kunsthistorisches museum, Vienne © Artephot/Nimatallah. d : Épée du sacre des rois de France, ancien trésor de l'abbaye de Saint-Denis, coll. musée du Louvre, Paris © RMN.

48 c : Le dîner du roi Richard II, enluminure in *Chroniques d'Angleterre*, XVe siècle, coll. British Library, Londres © The Bridgeman Art Library. c : Coffre avec scènes de tournoi, mobilier français, XVe siècle, coll. musée du Moyen Âge, Cluny, Paris © RMN.
d : Vue aérienne de Château-Gaillard © B. Boufflet/OT, Eure.

49 : Dover Castle © Eurasia Press/Diaf. c : Scène d'adieu, peinture murale du château de Peratallada, XIVe siècle, coll. museo de Arte de Catalunya, Barcelone © The Bridgeman Art Library.

60 d : Bague de mariage provenant du trésor de Colmar, second quart XIVe siècle, coll. musée du Moyen Âge, Cluny, Paris © RMN.
c : Accouchement, dessin in *Commentaire de Genèse 20 in Postilles* de Nicolas de Lyre, XIVe siècle, coll. bibliothèque municipale, Arras © Jean Vigne.
b : Fileuse, miniature in *Ovide moralisé par Chrétien Legouais*, coll. bibliothèque municipale, Rouen.

61 h : Enluminure in *La Cité des dames*, de C. de Pisan, XVe siècle, coll. BNF © Edimédia.
c : Scène de mariage, enluminure © Giraudon.
d : le mariage d'Aliénor d'Aquitaine et Louis VII, enluminure in *Grandes Chroniques de Saint-Denis*, XIVe siècle, coll. musée Condé, Chantilly © Edimédia.

74 g : Adoubement, enluminure in *Institutions de Justinien*, coll. bibliothèque municipale, Metz © Artephot.
b : Chevalier croisé, aiguière française, bronze, coll. musée du Bargello, Florence

© Scala.
d : Galahad est présenté aux chevaliers de la Table ronde, miniature in *La Quête du Graal et la mort d'Artus* de Gauthier de Map, coll. BNF © Edimédia.

75 h : *Tournoi entre John Chalon d'Angleterre et Louis de Beul de France*, miniature in *Manuscrit royal*, coll. privée. © The Bridgeman Art Library. d : Gisant de chevalier, fin XIIe siècle, coll. musée Unterlinden, Colmar © Artephot/J. Lavaud.

88 d : Jardin médiéval, site du Pallier © M.-P. Samel /Bios.
c : Emilia dans son jardin, miniature in *Livre d'heures du duc de Bourgogne*, XVe siècle, coll. Osterreichische Nationalbibliothek, Vienne © The Bridgeman Art Library.

89 d : *Le Fol Ménestrel*, miniature in *Fabliaux* de Watriquet, XIVe siècle, coll. bibliothèque de l'Arsenal, Paris © Artephot/ADPC. Joueuses de flûte traversière, enluminure in *Cantigas de Santa Maria* de Alphonse X

le Sage, XIIIe siècle, coll. bibliothèque de l'Escorial, Madrid © Artephot/Oronoz.
b : Un chevalier fait ses adieux à des dames, psautier Luttrel, coll. British Museum, Londres © Artephot/Oronoz.

96 c : Le repas des pèlerins, enluminure in *La Cité de Dieu*, saint Augustin, coll. bibliothèque municipale, Mâcon © Jean Vigne.

97 c : Crosse de Carcassonne, art limousin XIIIe siècle, coll. musée du Moyen Âge, Cluny, Paris © RMN.
d : Ordonnement d'un prêtre par l'Évêque, miniature, XIIe siècle, coll. British Museum © Edimédia.
b : Abbaye de Sénanque © E. Valentin/Hoa-Qui.

108 c : La prise de Jérusalem, première croisade, enluminure © Edimédia.
b : Bassinet, vers 1380-1400, école française, coll. musée du Moyen Âge, Cluny, Paris © RMN.
b : Gisant du Prince Noir, cathédrale de Canterbury © The Bridgeman Art Library.

109 h : Tite-Live, page

de titre de la *Première décade*, débarquement de soldats, bataille de chevaliers, construction d'un rempart, femmes capturées, XIVe siècle coll. bibliothèque municipale, Bordeaux © Jean Vigne.
d : Épée de William Walworth, 1381, coll. Fismonger's Hall, Londres © The Bridgeman Art Library.

120 g : Maître et étudiants, in *Commentaire sur les Décréales d'Innocent IV*, coll. bibliothèque de la Sorbonne, Paris © J. Vigne. b : Monstre, art flamand, XIVe siècle, coll. musée du Louvre, Paris © RMN.
d : Diane, in *Livre des esches amoureux*, coll. BNF © Giraudon.

121 : Conques, détail du jugement dernier © Jean Feuillie/ CNMHS. Arrivée des marchands en Inde, in *Livre des merveilles*, XVe siècle, coll. BNF.

122 : King Arthur, sculpture XIIIe siècle, Nuremberg.

123 : Affiche d'*Excalibur*, © BFI Stills Posters and design.

BIBLIOGRAPHIE

Chrétien de Troyes, *Yvain, le chevalier au lion*, Folio Junior, Gallimard Jeunesse, Paris, 1997.

Chrétien de Troyes, *Lancelot, le chevalier de la Charrette*, Folio Junior, Gallimard Jeunesse, Paris, 1997.

Chrétien de Troyes, *Perceval, ou le Roman du Graal*, Folio Junior, Gallimard Jeunesse, Paris, 1997.

Anne Berthelot, *Le Roi Arthur, la force d'une légende*, Découvertes Gallimard, Paris, 1996.

Mark Twain, *Un Yankee à la cour du roi Arthur*, Terre de Brumes, 1994.

T. White, *Excalibur, l'épée dans la pierre*, J. Losfeld, Paris, 1997.

René Barjavel, *L'Enchanteur*, Denoël, Paris, 1987.

Molly Perham, *Le Roi Arthur et les légendes de la Table ronde*, illustrations Julek Heller, adaptation Claudine Glot, Breizh.

Sur le Moyen Âge

C. Gravett, *Le Temps des chevaliers*, Les Yeux de la Découverte, Gallimard Jeunesse, Paris, 1993.

À l'ombre des châteaux forts, Découverte Junior, Gallimard Jeunesse, Paris, 1992.

Richard Platt, *À l'assaut d'un château fort*, Gallimard Jeunesse, Paris, 1994.

Bande dessinée

Chauvel, Lereculey, Simon, *Arthur, une épopée celtique* *Myrddin le fou* *Arthur le combattant* *Gwalc'hmai le héros*, Guy Delcourt Productions, Paris, 2000.

SITES INTERNET

Généraux
http://histgeo.free.fr/cinquieme.html

Cluny
http://www.musee-moyenage.fr/

Forêt de Brocéliande
http://le-village.ifrance.com/broceliande/

http://perso.wanadoo.fr/merlin77/cia

En anglais
http://www.arthurtheking.com
site du Centre arthurien et de ses correspondants ou associés en Cornouailles, Écosse, Irlande, Catalogne.

Lieux arthuriens de Grande-Bretagne
http://:dc.smu.edu/Arthuriana

À VISITER

Centre de l'imaginaire arthurien
Château de Comper-en-Brocéliande
56430 Concoret
tél. 02 97 22 79 96

SUR LES TRACES

Direction éditoriale :
Maylis de Kerangal
Direction artistique :
Elisabeth Cohat

SUR LES TRACES DU ROI ARTHUR

Édition
Maylis de Kerangal
Françoise Favez
Graphisme :
Raymond Stoffel
Christine Régnier
Iconographie :
Anaïck Bourhis